SONOMA COUNTY

WINE LIBRARY

# La Viña, la Vid y el Vino

# La Viña, la Vid y el Vino

José Álvarez Asperó

## EDITORIAL TRILLAS

México, Argentina, España
Colombia, Puerto Rico, Venezuela

**Catalogación en la fuente**

Álvarez Asperó, José
La viña, la vid y el vino. -- México : Trillas,
1991.
352 p. : mapas, grab., il. (algunas col.);
25 cm. -- (Trillas turismo)
Bibliografía: p. 341-342.
Incluye índices
ISBN 968-24-3915-9

1. Vinos e industria vinícola. I. t. II. Ser.

LC- TP548'A5.8          D- 663.2'A685v

Derechos reservados
© 1991, Editorial Trillas, S.A. de C.V.
Av. Río Churubusco 385, Col. Pedro María Anaya
Deleg. Benito Juárez, 03340, México, D.F.

Miembro de la Cámara Nacional de la
Industria Editorial. Reg. núm. 158

Primera edición, febrero 1991
ISBN 968-24-3915-9

Impreso en México
Printed in Mexico

Esta obra se terminó de imprimir,
el día 28 de febrero de 1991
en los talleres de Rotodiseño y color, S. A. de C. V.,
San Felipe 26, Col. Xoco,
C. P. 03340, México, D. F.,
se encuadernó en Encuadernación El Tintero,
Hortensia s/n Manzana 200, lote 22 Col. Miguel Hidalgo,
C. P. 13200 México, D. F.,
se tiraron
5 000 ejemplares, más sobrantes de reposición
ATET, SR 120

# *Prólogo*

La historia del vino es casi tan antigua como la evolución del hombre sobre nuestro planeta. Los primeros testimonios del cultivo de esa planta maravillosa, la vid, (*Vitis vinifera*) se remontan a más de siete mil años antes de Cristo; es en la cuna de la civilización occidental, en el legendario país de Sumer, en una zona hacia el sur del Mar Negro, donde aparecen esas primeras noticias.

Posteriormente, su difusión fue alcanzando la Mesopotamia, vasta región entre los ríos Tigris y Éufrates, Asiria y el antiquísimo Egipto, así como África del Norte, quienes supieron de las exquisiteces del fruto de la vid. En pinturas funerarias, en bajorrelieves y tablillas nos dice el mundo de la antigüedad que la uva y su producto, el vino, fueron ampliamente conocidos y se desarrollaron al mismo compás que lo hacía la civilización. La Biblia, el Corán y muchos otros pergaminos y libros milenarios nos hablan de lo mismo.

Los griegos y fenicios extendieron la vid y el alfabeto hacia el Oeste del Mediterráneo, y los romanos llevaron estos logros de la naturaleza y el espíritu humano a España, Francia y otros países europeos. En el transcurso del tiempo se han originado muchas variedades de la vid común y algunas de ellas han llegado a ser características de ciertas regiones vinícolas.

Hoy día, el aprecio y el consumo del vino de mesa está generalizado en casi todos los países; es ya una tradición civilizada, una delicia que todos podemos disfrutar, considerada, además, como una quintaesencia integrada a la cultura de los pueblos. Así, vemos que los grandes pensadores y sabios, poetas, artistas y escritores, han opinado, a través de las épocas: "El vino es la más sana y la más higiénica de las bebidas", según afirmación del célebre Pasteur. En la Biblia se lee: "El vino alegra el corazón del hombre", y también una verdadera antología de refranes, consejos y sentencias que hablan de las excelencias del vino, como: "La juventud nos dio amor y rosas, la edad nos deja amigos y vino". "La amistad es como el vino, se aprecia más con el tiempo". "Los viejos amigos son para confiar, los vinos viejos

**7**

para saborear". Sería interminable la serie de manifestaciones donde los pueblos expresan su sentir respecto a esta singular bebida.

En el momento actual, México ya produce mucha uva y muy buena además. Nuestras viñas mexicanas descienden de las más nobles cepas de Europa, y nuestros vinos ya se equiparan, hasta con ventaja para los productos mexicanos en algunos casos, a los mejores vinos extranjeros, siendo toda una aventura del sabor el combinar los alimentos, auténticas ofrendas gastronómicas de nuestra cocina fuera de serie, capaces de hacer las delicias para el gastrónomo más exigente, con las características de los vinos, tinto, blanco, rosado.

Fauno al que le
ofrecen uvas,
William Bradley,
1890, Chicago

Desde luego, inspiran gran confianza los productores que llevan varias generaciones haciendo vinos y conocen a fondo las características de cada variedad de viñas y el desarrollo de cada vino elaborado a partir de ellas.

Hoy, que me solicita nuestro querido amigo, enófilo y colaborador, Pepe Álvarez, unas líneas prologantes a su valioso trabajo sobre nuestros vinos y la vitivinicultura en general, fruto de su experiencia de muchos años de trabajo y vocación, lo hago con mucho gusto, agradeciéndole esta distinción que cumplo, repito, con gran placer y felicitándole al mismo tiempo por su importante empeño.

Lic. Antonio Ariza Alduncin
Director Corporativo de la Casa Pedro Domecq, México

*No se es virtuoso, según yo, no se es
hombre, cuando se sabe alejar las penas de la vida
y cuando en lugar del vino que nos inflama,
uno se contenta con el primer arroyo para
apaciguar la sed.
El vino no es menos útil a los mortales que
el fuego; es el más infalible remedio para todos los
males, es el dios que nos inspira los más amables
cantos. El vino es el que hace la parte sagrada de
los festejos. Es el que trae a nuestros brazos
encantados los más tiernos objetos de nuestros
amores.
Regocijémonos con el vino, hagamos la
vida fácil y el placer subsistirá. El vino
tomado con moderación es el más bello don de
los mortales.
Llene, yo lo autorizo, su copa de oro con
este licor divino, pero beba sobriamente, y a
largos tragos; inundará dulcemente todas las
amarguras de la vida.*

Panyasis
Siglo VII a. de C.

# Agradecimientos

Agradezco las facilidades que me brindaron las siguientes instituciones: Casa Audiovisual, S. A., Hotel Stouffer Presidente, Restaurante Maxim's de México y la Casa Pedro Domecq, México, así como a todas aquellas personas que me ayudaron directa e indirectamente en la realización de esta obra.

# Índice de contenido

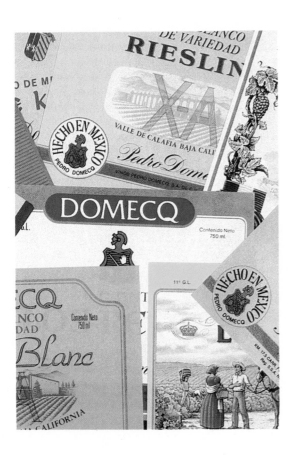

*¡Bebed siempre y no moriréis jamás!*

RABELAIS

# 1. La vid

El vino es el zumo de las uvas; cada gota de vino es lluvia recuperada de la tierra y procesada por el mecanismo de la planta productora de las uvas, la vida.

Por esto, si queremos llegar a comprender lo que es el vino debemos comenzar por conocer qué es y cómo es la planta de la vid. Desde el punto de vista de la botánica, la vid corresponde a la siguiente clasificación:

| | |
|---|---|
| Tipo | fanerógama |
| Clase | angiosperma |
| Orden | ramnida |
| Familia | ampelidácea o vitácea |
| Género | *Vitis* |
| Especie | varias |
| Variedad | varias |

Los investigadores dividen el género *Vitis* en dos subgéneros o secciones: *Muscadinea* y *Euvitis*. La primera no tiene importancia enológica. En la segunda separan un grupo de vides sin clasificar aún y otro de especies asiáticas, poco importantes. Otro grupo de vides americanas, como las especies *Vitis riparia*, *Vitis berlandier* y *Vitis rupestris*, muy utilizadas como portainjertos por su resistencia a la filoxera, y finalmente una serie europea formada por la especie *Vitis vinifera linneo* y sus numerosas variedades, que producen las mejores uvas y los mejores vinos: Cabernet, Pinot, Gamay, Grenache, Sylvaner, Riesling, Tempranillo, Palomino, etc.

El cruzamiento de variedades distintas de una misma especie puede originar variedades nuevas. Quizá muchas variedades hoy cultivadas proceden de cruzamientos naturales. También los hay creados por el hombre, como la *Müller thurgau*, obtenida de Riesling y Sylvaner. No deben confundirse con los híbridos, que nacen del cruce natural o artificial de plantas del mismo género pero de distinta especie, por ejemplo: *Cabernet berlandieri* o *Riparia rupestris*.

La planta de la vid se adapta sin dificultad a terrenos de distinto origen geológico y de diversa constitución: húmicos, arenosos, limosos, arcillosos, cálcicos, etc. Acepta climas muy diferentes, pero necesita siempre inviernos fríos y veranos largos y calientes. El área geográfica de su cultivo, como se verá posteriormente, está comprendida entre los paralelos 50° de latitud norte y 38° de latitud sur.

Podemos describir la vid como una planta trepadora, vivaz, de tronco retorcido y largos sarmientos. Sus hojas o pámpanos son grandes y pecioladas, están divididas en cinco lóbulos más o menos profundos. Frente a algunas de ellas nace un zarcillo o tijerilla, que puede enroscarse a cualquier cosa. Las flores se agrupan en panículo, también opuesto a las hojas. Cada flor consta de cáliz, estambres y un pistilo. El fruto es una baya, la uva, que encierra varias semillas, las variedades se diferencian por la forma de sus hojas y principalmente, por las características del fruto.

La vid es una planta que puede vivir hasta 100 años en producción, según el tipo de planta, de zona y de clima.

La vid noble empieza a producir después del cuarto año de ser sembrada, y el séptimo u octavo obtiene el fruto su calidad óptima. Los promedios normales de vida de la planta fluctúan entre los 25 y 40 años.

La vid se reproduce por semilla, estaca, acodo, barbado e injerto. Puede dejarse crecer como parra, pero comúnmente se poda en forma de cepa baja, con los sarmientos inclinados hacia el suelo. No obstante, en las zonas frías conviene mantener los sarmientos en alto, sujetándolos en algún soporte.

Aunque la cepa de la vid, con su fuerte tronco, recios sarmientos y abundante follaje, parece ser maciza, entera, única, lo cierto es que está compuesta de un número grandísimo de partes extremadamente pequeñas, llamadas células, tan pequeñas que sólo son visibles con potentes microscopios. Causa asombro lo complicado de su composición y lo complejo y maravilloso de su funcionamiento.

Cada una de estas células constituye un ser vivo que absorbe sustancias alimenticias, respira, expele al exterior sustancias de desecho, crece, se reproduce entre ciertos límites y, como todo ser vivo, termina por morir. Aun estas células muertas, con sus desechos, forman partes importantes de la planta como la corteza del tronco, que sirve de protección. Toda esta diversidad de células se compene-

La vid es una planta trepadora, de tronco retorcido y largos sarmientos

tran, ayudan y unen, formando conjuntos armónicos y equilibrados que hacen admirar su grandeza.

Las células son análogas entre sí, formando tejidos, que podríamos llamar los suelos y muros del complejo edificio que forma la planta. Estas asociaciones de células iguales entre sí, tienen fines idénticos pero unos tejidos sirven para conducir líquidos a través de la planta; otros para sostener su armazón, para formar la parte viva que crece, y por último, todos ellos, cumpliendo funciones que se armonizan y complementan, forman el complejo ser vivo que es la planta con sus diferentes órganos, bien definidos, que son los siguientes: raíces, tallos, hojas, flores y frutos.

Las raíces son la parte subterránea de la planta y tienen una doble función. Por un lado, la espesa red que forma el conjunto de raíces, se mezcla íntimamente con la tierra y viene a ser como las varillas de hierro en el hormigón, que apelmazan

y traban la tierra, formando un bloque sólido que sujeta perfectamente la planta al suelo. La otra función, aún más importante, es la de absorber los jugos y líquidos del suelo para contribuir a la alimentación de la planta, tomando las sustancias nutritivas en forma líquida.

Las raíces salen de la parte de la vid que está a ras del suelo y se llama cuello, formando un haz o cabellera, por lo que esta disposición se llama fasciculada. De cada una de estas raíces salen otras más finas y de ellas aún sale más hasta llegar a ser las raíces tan largas y finas como un cabello. Cada raíz tiene la forma de un cono alargado, terminado en una punta revestida y como blindada que se llama cofia.

Las raíces del año, más finas, tienen arriba de la cofia una pequeña zona desnuda y suave; más arriba otra zona provista de unos pelos cortos, finísimos, que se llaman absorbentes y de los cuales depende la absorción de la planta. Sobre esta zona de pelos absorbentes, hasta el arranque de la raíz, hay otra zona provista únicamente de una simple corteza. Esta forma exterior de la raíz se modifica en las raíces más viejas, que suelen ser mucho más gruesas, no tienen pelos absorbentes y la corteza que envuelve toda la raíz es más gruesa, más oscura y más agrietada.

Hay diferencias en el aspecto externo de la raíz de las distintas clases de vides, pues unas se hunden más profundamente en el suelo y son más verticales y más finas. Otras son más superficiales, horizontales y tienen aspecto más grueso.

Las raíces se revisan antes de ser plantadas

Por el interior, cuando se corta de través una raíz y se mira al microscopio, se observa una corteza exterior, con o sin pelos absorbentes (según por donde se ha dado el corte). Si hay pelos absorbentes la corteza es fina y compuesta de células vivas, inmediatamente debajo de esa corteza hay unas capas de células vivas, más o menos gruesas y en el centro una parte distinta, llamada cilindro central, que forma la médula de la raíz, donde se encuentran los tubos de conducción de los líquidos que corren por el interior de la planta. Estos tubos son de dos clases, unos duros o leñosos, y otros más blandos que se llaman liberianos.

Como ya se dijo, la función más importante de la raíz es la absorción, a través de los pelos, de los jugos y líquidos del suelo, que después de penetrar a la raíz pasan hacia los tubos o vasos leñosos, por los cuales ascienden hacia las otras partes de la planta.

Las partes de la planta que están por arriba del suelo reciben el nombre general de vuelo, y se distinguen en primer lugar los tallos. Estos son órganos aéreos de la planta, que forman su cuerpo; el principal, que en la vid es uno solo se llama tronco o cepa. Los que salen directamente del tronco o cepa se llaman tallos de primer orden o brazos si son grandes, chupones, si son jóvenes y débiles, nacidos sobre cepa de años. Luego se distinguen los tallos salidos de los brazos, que se llaman pámpanos cuando son jóvenes, y sarmientos al desarrollarse enteramente. Los que se desarrollan en el mismo año que el sarmiento y brotan sobre él reciben los nombres de nietos, hijuelos, hijuelas o feminillas. Además, abundan en la vid una especie de ramillas pequeñas que se arrollan a lo que encuentran, y que se llaman zarcillos o tijerillas.

Los troncos tienen forma aproximadamente cilíndrica y serían larguísimos si no los modificara el cultivo; suelen tener una altura pequeña, o de unos dos o tres metros cuando la vid se arma en parra.

Los brazos, sarmientos y demás, tienen forma cónica, muy alargada. Al exterior se ven recubiertos de corteza vieja, que a veces está muy rajada en los troncos, y están divididos en trozos, llamados entrenudos, separados por unos ensanchamientos, con un botoncito, denominado yema. El sitio donde está la yema, algo abultado, se llama nudo. En estos nudos nacen las hojas o los zarcillos.

Cortados a lo largo y observados al microscopio, se ve una estructura muy semejante a la de las raíces; una corteza exterior gruesa que sirve de protección; una parte viva, debajo de la corteza y un cilindro central, donde existen también vasos o tubos, liberianos y leñosos, formando haces en tallos muy jóvenes o anillos concéntricos en tallos de más de un año. Al centro está lo que se llama la 0médula; análoga es la estructura de los pedúnculos de las hojas y flores, de los zarcillos, nietos, etcétera, pues todos son tallos.

La función de los tallos es levantar y sostener en alto las hojas y flores, que necesitan una gran aireación y mucho sol. Por eso son duros y fuertes, capaces de resistir al viento y otros agentes meteorológicos. Al mismo tiempo sirven de canales de enlace y distribución para los líquidos que circulan por el interior.

Los zarcillos son tallos, por tanto, en su aspecto y estructura, son como cualquier tallo; generalmente tienen dos o tres puntas y se arrollan a cualquier elemento que encuentren.

Las hojas son la parte más importante de la planta. Estos órganos están formados por unas láminas verdes, de forma muy típica con escotaduras que dividen en lóbulos, que pueden ser de tres a cinco. El pedúnculo o cabillo entra en una escotadura que tiene la hoja, formando lo que se llama seno peciolar. En las hojas se aprecian unos nervios, de los cuales cinco son los principales, y nacen en el extremo del peciolo, pedúnculo o cabillo, y luego otros muchos nacen de éstos para formar una tupida red. Esta red de nervios es la que da forma y tiesura a la hoja, pues la parte verde es blanda y porosa como una esponja (estos poros son invisibles a simple vista).

Al hacer un corte transversal en la hoja se aprecian los nervios, que no son más que haces de vasos y la parte verde, más tupida por abajo, con más orificios y aireada por arriba, formada por células vivas.

La función de la hoja es importantísima y también doble. Mientras hay luz, asimila gas carbónico del aire y expulsa oxígeno, empleando el anhídrido carbónico para llevar a cabo sus transformaciones químicas, junto con los líquidos que la raíz absorbió y que subiendo siempre han llegado hasta ahí. El resultado de estas transformaciones es un líquido de gran complejidad, llamado savia elaborada, que se reparte por toda la planta, descendiendo por los vasos o tubos liberianos, llevando la vida a toda la cepa, como la sangre lo hace en los animales. Dada la forma circular, las partes de la planta que están cerca y debajo de las hojas son las mejor alimentadas.

La savia elaborada, es pues un producto de una auténtica fabricación, en la que intervienen como materias primas el gas carbónico del aire y los líquidos que llegan del suelo; como maquinaria y herramientas utiliza la sustancia verde o clorofila, y como energía, la luz del sol. Las materias de desecho son: agua, que se elimina en grandes cantidades y el oxígeno, ya citado.

La otra función de las hojas, común a todas las partes de la planta que tienen contacto con el aire y están vivas, es la respiración, absorción de oxígeno, que en el interior de la planta quema diversas sustancias, proporcionando energía y dando como desecho gas carbónico. O sea, es el mismo proceso que se desarrolla en el reino animal.

Podemos sintetizar en dos fórmulas la función de las hojas. En la primera, llamado fotosíntesis, con la ayuda de la energía solar, la planta produce azúcar y podemos expresar la función con la fórmula siguiente:

$$6CO_2 + 6H_2O + \text{energía luminosa} = C_6H_{12}O_6 + 6O_2$$

Dióxido de    agua                                    azúcar      oxígeno
carbono

La función de la respiración puede expresarse con la fórmula siguiente:

$$C_6H_{12}O_6 + 6O_2 = 6CO_2 + 6H_2O + \text{energía química}$$

Estas dos ecuaciones que resumen los principales procesos efectuados por la planta, contienen el secreto de la fotosíntesis y de la captación de energía por la luz. En primer lugar, cuando las hojas verdes se sitúan en una luz fuerte pueden utilizarla para fabricar azúcar y oxígeno, a partir de dióxido de carbono y agua. En segundo lugar, pueden invertir el proceso, desdoblando el azúcar mediante el oxígeno, lo que es simplemente respirar, para liberar la energía absorbida por la luz, con formación de dióxido de carbono y de agua como productos de desecho. La transformación de la energía luminosa (fotosíntesis) a energía química, puede ser inmediata o demorada, según convenga: la energía queda disponible en el azúcar, muy estable químicamente e incluso puede almacenarse durante millones de años, como carbón, y finalmente ser utilizada por el hombre.

Las flores de la vid forman racimos pequeñísimos, que al principio parecen una fresa o mora pequeña, y luego se desarrollan pareciéndose a una botella pequeña, con cinco hilos muy finos como ya se mencionó, llamados estambres, situados en su parte superior. La flor tiene un perfume suave y agradable, pero poco perceptible. La botellita, llamada pistilo, en primavera recibe polen, o sea unos granos muy finos y pequeños que producen los estambres, y después comienza a hincharse y se transforma en el fruto, o grano de uva.

Los frutos se agrupan en racimos, los mismos de las flores, formados por unos granos de uva redondos como pequeñas canicas (aunque hay uvas alargadas) y de colores variados. Si se observa detenidamente cada fruto, se verá que no es más que la transformación de un pistilo y está formado por una piel, carne o pulpa y pepitas o semillas, aunque estas últimas pueden faltar, como en las clases de uva que se utilizan para las uvas pasas. Pero lo más común es que cada uva tenga tres o cuatro pepitas.

Así es la vid, y tales son sus órganos. Pero no basta con saber eso. Es conveniente y necesario conocer también la vida de la vid a lo largo de todo el año.

Dos aspectos del principio de la formación de las uvas

La vid en pleno invierno tiene su vida paralizada, carece de hojas y flores, sus raíces no absorben, pues el suelo no tiene la temperatura adecuada para ello, por lo que los líquidos no circulan por su interior; el daño que sufre, por ejemplo en el caso de las heridas, es mínimo. El frío del invierno ejerce una labor de desinfección, mata los insectos y evita las enfermedades. Las lluvias invernales también son benéficas, pues es durante esta época en que el subsuelo se aprovisiona para enfrentarse a los fuertes calores del verano.

La poda, el abonado y el laboreo del suelo, son trabajos que se realizan precisamente durante este periodo de reposo, para darle forma a la cepa, nutrir y reparar

Pequeños
granos de uva,
principio del vino

La flor de la vid
tiene un
perfume suave y
agradable

Manos expertas
realizan la poda

el suelo para que el agua del invierno pueda penetrar bien, pues las lluvias invernales, a más de una importante reserva hídrica, son las que se encargan de disolver y esparcir los elementos fertilizantes del abonado, modificando el estado de agregación del suelo.

Si bien el intenso frío invernal no afecta en general a la cepa, en las primeras fases del desarrollo vegetativo son muy peligrosas las heladas tardías, pues afectan y lesionan los pequeños brotes, que son muy sensibles.

Al inicio de la primavera y con la elevación de la temperatura, se inicia la movilización de la savia desde las raíces, aportando sustancias minerales disueltas y movilizando las reservas presentes en la madera, haciendo posible el brote de las yemas y el inicio de la vegetación, brotando los pámpanos nuevos que desarrollan inmediatamente hojas. Ya en plena primavera, los pámpanos crecen rápidamente, hasta que llega el momento en que la temperatura es más alta, las flores se desarrollan por completo y comienza la fecundación, es decir a caer polen de los estambres hacia el pistilo. Inmediatamente comienzan a desarrollarse los frutos, hasta mediados o finales de julio creciendo poco a poco, conservando un color verde.

Amanecer en un
viñedo

A finales de julio o agosto, los frutos que hasta entonces, por ser verdes, formaban savia elaborada, y por tanto, se alimentaban y engordaban a sí mismos, cambian de color. A partir de entonces los granos dependen para su crecimiento de las hojas que están encima de ellos, y más que crecer, lo que hacen ya es transformar la sustancia de su carne, de ácida en dulce. A finales de septiembre o en octubre en el fruto no tienen lugar más transformaciones, está maduro. Puede ponerse aún más dulce, pero no por aumentar el azúcar, sino por perder agua, o sea pasarse.

Al mismo tiempo comienza la maduración de los sarmientos, que consiste en que la savia elaborada se concentre y quede en la parte inferior de los tallos y brazos, mientras que la madera del sarmiento, por pérdida de agua, se pone muy dura. Poco después cesa la absorción por las raíces y las hojas, faltas de trabajo, secan y caen. Después de la caída de la hoja, la cepa queda aletargada, reteniendo en sus raíces y tronco las sustancias elaboradas a través de sus hojas y así permanecerá durante todo el periodo invernal, en espera de la primavera. En este momento deben empezarse a labrar los suelos, duros y resecos por la sequía, preparándolos para las primeras lluvias invernales. Después de unos días se iniciará la poda, necesaria para darle a la cepa su fertilidad, vigor y calidad.

Como la cepa está aletargada, los cortes producidos por las tijeras, al hacer una incisión en el sarmiento, no tendrán ninguna importancia, no producirán pérdida de savia ni de reservas elaboradas por la cepa, pues éstas se han concentrado en el tronco y la raíz. Los sarmientos caen al suelo después del corte magistral, dejando sólo los mejores, que tendrán que brotar en la primavera con la primera elevación de las temperaturas (alrededor de los 10° centígrados).

No basta conocer cómo es la planta de la vid y su vida, sino que se debe recordar que hay muchas especies de vid, de las cuales nos interesa principalmente la vid europea, o sea la *Vitis vinifera*. Las vides americanas son también importantes, como ya se dijo, por ser las portainjertos: *Vitis riparia*, *Vitis berlandieri*, *Vitis rupestris*. La *vinifera* es la que tiene el mejor fruto, la única uva que produce un buen vino. La *rupestris* vive en tierras frescas y con muy poca cal. La *berlandieri* en tierras medio secas y muy calizas. Los portainjertos participan de las cualidades de algunas de estas especies, por ser híbridos.

Tal es la planta de la vid, en realidad una planta como otra cualquiera con vida análoga, y cuya descripción se ha hecho con cierto detalle porque el conocimiento de la forma de ser de la planta y de su ciclo biológico, es base y fundamento de lo que se irá exponiendo sobre el cultivo de la misma, e incluso parte de la elaboración de los vinos está condicionada por algo de lo que a la planta le ocurre durante su ciclo vital.

Posteriormente se expondrá cómo el medio: (aire, tierra, seres vivos y hombre) puede influir en las condiciones de desarrollo de la planta, para que dé los frutos de calidad más adecuada a la elaboración de un buen vino.

Labores agrícolas en el viñedo

# CULTIVO DE LA VID

Como casi todas las plantas, las vides se reproducen por semillas. La siembra de pepitas de uva sería el método más fácil y barato para obtener nuevas vides pero, como otras plantas de elevado linaje, rara vez las semillas llegan a producir plantas iguales a sus progenitores. Esto tiene una explicación: en ocasiones la fecundación no se efectúa con el polen de la misma planta, y entonces el embrión contenido en la semilla da lugar a una planta, aunque de la misma variedad, resultado de un cruzamiento, y por lo tanto un poco diferente a su progenitora.

Hace siglos se descubrió que el mejor método, más barato y que permite ahorrar más tiempo, es la plantación de un trozo de sarmiento llamado estaca, estaquilla o esqueje, ya sea plantado por sí mismo para que arraigue, o injertado en el esqueje ya arraigado de otra especie, casi siempre un híbrido de planta americana.

En este capítulo vamos a resumir, sin entrar en mayores detalles, propios de la actividad del ingeniero agrónomo, lo que son los viveros o terrenos para obtener injertos o barbados, los cuidados previos a la plantación, la elección del portainjerto, la plantación, el injerto y la forma de hacer la plantación siguiendo la orientación del viñedo.

Como ya se ha dicho al hablar de la planta, la obtención de un nuevo viñedo se complica por la necesidad de poner en el terreno vid americana, que aunque resistente a la filoxera y a otras enfermedades, es más sensible y exigente que la *Vitis vinifera* para arraigar. Por ello existen hoy en día los viveros, fincas en las cuales

Vista de un
vivero en Beillet,
Francia, 1890

Uvas del vivero
de Roubaix,
Francia

Vivero de
sarmientos

el terreno es de muy buena calidad, fértil y bien orientado, donde se ponen las estacas o esquejes de vid para que echen raíces.

Los viveros pueden ser de tres clases: de barbados, de injertos y de pies madres. Los primeros son aquellos donde se plantan estaquillas de vid americana para que echen raíces o barben. Los segundos son en los que se ponen esas mismas estaquillas, pero ya injertadas de *Vitis vinifera*. Y los terceros son aquellos en los cuales se ha plantado vid americana o sus híbridos, pero no para obtener barbados, sino para conseguir una viña que dará viña con el tiempo, plantas cuyos sarmientos darán las estacas o esquejes de vid americana. La tierra de los viveros debe ser fértil para obtener rápidamente plantas vigorosas, pues no se trata de obtener fruto.

El terreno se prepara con una labor de desfonde a buena profundidad. Antes de la plantación, en inveierno, se abonará profusamente con una mezcla de abono animal (estiércol), superfosfato y potasa. Los campos de pies madre se plantarán a dos metros de distancia entre las plantas, y las estaquillas se pondrán en hoyos abiertos unos días antes, a finales del invierno. El cuidado de estos campos se reduce a labores superficiales.

La tierra para viveros de barbados ha de ser también fértil y regable. La plantación se realiza en zanjas abiertas a 70 cm de distancia unas de otras, en las cuales se ponen los esquejes a 10 cm unos de otros, cubriéndolos de tierra suelta para formar un caballón, Después de plantar se dará un riego, se rehará el caballón y se somete la tierra a cuidados ordinarios.

Preparación del terreno, realizada con tecnología moderna

En los viveros de injertos se realizarán los trabajos en forma parecida, añadiendo como cuidado indispensable de cultivo, el eliminar las raíces que puede echar el injerto y los brotes del patrón.

Procedimiento antiguo para preparar el terreno

# CUIDADOS PREVIOS A LA PLANTACIÓN DE UN VIÑEDO

Cuando la tierra ha estado ya sembrada de viña, conviene, por experiencia de mucho tiempo, dejarla descansar unos años, plantando alguna leguminosa y abonando con intensidad. Después la viña será más vigorosa que si se planta sin dejar la tierra descansar.

Si el terreno, por ser recién labrado o haber sido de monte bajo, necesita alguna preparación, ésta habrá de efectuarse antes de la plantación. Si hay árboles, matas u otro tipo de vegetación se quitarán tocones y troncos cuidadosamente. Si es necesario formar bancales, se hará con todo cuidado, nivelando de acuerdo con las necesidades. Debe recordarse que para plantar viñas es necesario un terreno más bien seco y medianamente calizo.

Ya hecha la preparación previa de la tierra (nivelación, descanso, detoconado, roturación) es cuando se puede pensar en proceder a la plantación.

Terreno seco y calizo, ideal para plantar vides

Otro aspecto de la preparación antigua del terreno

32

# ELECCIÓN DE PORTAINJERTOS

La elección de la planta, según el tipo de terreno, es esencial. La causa del fracaso de muchos viñedos, que nunca llegan a dar buenos frutos, se enferman de clorosis o se agotan a los pocos años, es sencillamente la mala elección de la planta que se pone en el terreno.

Recordemos que existen vides europeas y americanas. Las europeas cuentan con una sola especie y de las americanas hay varias, pero las más importantes son: *Vitis riparia*, *Vitis rupestris* y *Vitis berlandieri*.

Como las vides europeas eran atacadas y destruidas por la filoxera, hubo de abandonarse su cultivo directo y ahora se plantan portainjertos, es decir plantas patrón de vid americana y sobre ellas se injerta la vid europea. Estos portainjertos no son especies americanas puras, sino híbridos, es decir, plantas obtenidas artificialmente por cruzamiento de distintas especies y que tienen diferentes características para adaptarse a los diversos tipos de tierra, por eso es tan importante antes de escoger el portainjerto, conocer bien el terreno y analizar la cantidad de cal que contiene.

Eliminación de
malezas

# PLANTACIÓN

Es importantísimo que la tierra tenga una preparación inmediata antes de la plantación, es decir, el mismo año que se va a plantar. Conviene desfondar o labrar a 60 cm de profundidad lo más pronto posible, para que penetren las lluvias del otoño y las primeras del invierno.

Raíz de un sarmiento antes de ser plantado

El método más común para la plantación es un hoyo de 80 cm de diámetro y 80 cm de profundidad, en el cual se colocará el portainjerto con raíces recortadas, de modo que quede en el centro, con las raíces asentadas en una capa de la mejor y más suelta tierra que haya, echando sobre éstas más de esa tierra buena, apisonándola bien. Si son barbados, se pondrán a tal profundidad que la salida de su brotación sea a ras del suelo; si son plantas injertadas ya, la soldadura del injerto debe quedar un poco por debajo del nivel del suelo.

Colocación del sarmiento en la tierra

Las plantas no se pondrán secas, deben mojarse antes. Al ser plantadas se cortarán sus brotes dejando una sola vara guía y toda la plantación, es decir, cada planta puesta, quedará bien cubierta de tierra suelta, formando un pequeño montón.

Amarre del
sarmiento, en su
guía

Planta recién
regada después
de su colocación
en el suelo

Quince días antes de la brotación, se revisarán las plantas y se cortará la guía a una yema, cubriendo con menos tierra que antes. Debe recordarse que la plantación temprana es la que más desarrollo gana y que la tierra bien preparada, da la viña más asegurada.

Parra

# INJERTO

Después de hablar tanto del injerto, conviene dar unas ideas de lo que es y cómo se lleva a cabo.

**Injerto** es la operación de cultivo por la cual se une íntimamente un trozo de una planta, que se coloca en otra de clase análoga, llegando a formar una sola planta. Esto es posible debido a la forma como están constituidas; recordemos que existen tejidos y que éstos se forman de células; ahora bien, las células se multiplican y si están en contacto cercano las de dos tejidos análogos, se mezclarán y confundirán entre sí, y de los dos tejidos se formará uno solo. Es decir, que el fundamento del injerto está en el elemento anatómico primordial poseedor de vida propia, que es la célula.

Las condiciones necesarias para llevar a cabo un injerto son:

1. Humedad media, no excesiva para que no pudran los tejidos, ni poca para que no los seque.
2. Temperatura, suficiente para que los cambios vitales se realicen.
3. Contacto íntimo de los tejidos, que sean análogos y que las savias tengan composición parecida.

Vitral de uvas
tintas

La mejor época para injertar es primavera y otoño, cuando se cumplen las condiciones óptimas de temperatura y humedad. Los injertos pueden hacerse en el campo, cuando la plantación realizada ha sido de barbados, o en el taller, cuando las estaquillas se han de injertar antes de realizar la plantación en el vivero de injertos.

La técnica del injerto es muy sencilla y el material necesario: una navaja muy afilada, rafia, un recipiente con las púas y una tijera de podar para operar en el patrón. Aunque existen algunas variantes, la técnica básica es la siguiente: se cortan los trozos de sarmiento con una yema o dos, y debajo de ésta(s) se hacen dos cortes en bisel, formando una cuña, que se llama púa. Se abre un pequeño hoyo alrededor del patrón, se decapita ligeramente con la tijera bajo el ras de la tierra y con la navaja se hace una hendidura en el centro. Luego se mete la cuña de la púa en la hendidura del patrón y se ata con la rafia con el doble objeto de hacer que el contacto del patrón y la púa sea lo más estrecho posible y defender un poco las hendiduras del contacto con el medio. Finalmente se cubre todo con tierra suelta.

Citaremos únicamente algunas variantes de esta técnica, como el injerto inglés o hendidura doble, el inglés de costado y el llamado de escudete.

Hay que tener en cuenta que los injertos deben hacerse en época de vida activa de la planta, pero no cuando la savia tiene mucho movimiento, por eso han de efectuarse a principio de la primavera o avanzado el otoño.

Segunda poda

# FORMA DE HACER LA PLANTACIÓN

La disposición de las plantas en el terreno ha tenido alternativas, según la forma de llevar los cultivos y según lo que se quiera obtener de la viña.

En los viñedos más antiguos, de hace siglos, situados en laderas pendientes y en los que gran parte de la labor se hacía a mano, la disposición de las plantas era un poco indiferente. Cuando ya las labores se hicieron con arados tirados por caba-

Un moderno
tractor realiza
actividades
agrícolas dentro
del viñedo

Sistema de
calles para
plantación de
vides

llerías, incluso en las pendientes, fue importante alinear las plantas, para que esta labor se hiciera con más facilidad. Durante muchísimo tiempo la formación de los viñedos se hizo plantando las vides de modo que estuvieran en los vértices de cuadrados (en España "marco real") y la distancia entre las plantas, adoptada en un congreso de viticultura fue de 1.90 m. Entonces las vides estaban en cuadrados de 1.90 × 1.90 m, lo que hacía 2 770 plantas por hectárea.

Posteriormente, dos cosas han aconsejado abandonar el marco real: por un lado la extensión del uso de tractores en las labores del viñedo y por otro la necesidad de aumentar la producción para cubrir la creciente demanda y disminuir gastos de cultivo por unidad de producto.

Entonces se va cada vez más al sistema de calles en el cual se plantan las vides en líneas separadas entre sí por más de dos metros y las plantas se encuentran separadas una de otra por distancias un poco inferiores a los dos metros.

Por ello, hoy día se usan mucho las medidas: 2.40 × 1.50 m; 2.50 × 1.20 y otros marcos parecidos. Las plantas se pueden cultivar en estas disposiciones de dos maneras: la habitual, con troncos bajos y brazos cortos o la "alambrada" más alto y brazos y sarmientos atados a unos alambres (dos o tres), que corren a lo largo de toda la línea, sujetos de cuando en cuando a postes clavados en el suelo.

Otra vista del sistema de calles

Formación de líneas, que se realiza atando las puntas de los sarmientos

En tal caso, los marcos, pueden variar más; en California, por ejemplo, se usa para las plantas de crecimiento moderado el marco de 3.60 × 1.80 y para plantas de crecimiento vigoroso 3.60 × 2.40 m.

En los últimos diez años, el aumento de la demanda de vinos de calidad ha dado lugar a un espectacular crecimiento en el número de plantas, haciendo, al mismo tiempo, que los vinicultores pongan en tela de juicio la eficacia de las más tradicionales formas de mantener sus viñedos. Las preguntas que ahora se hacen no solamente son ¿qué tipo de vidueño?, sino ¿qué tipo de raíces?, ¿a qué distancia una de otra?, ¿dirigidas hacia arriba o hacia abajo?, ¿siguiendo el sentido de la pendiente o perpendiculares a ésta?. Los nuevos viñedos encierran las últimas teorías para que las uvas maduren con buena salud.

La vid es una planta trepadora procedente de·las zonas boscosas bajas del Mediterráneo, por lo que necesita mucha luz (razón por la que trepa), un clima templado, gran cantidad de agua en el subsuelo y una humedad de aire proporcionalmente elevada. Estos dos últimos elementos chocan con la fórmula clásica de la crianza con éxito de la vid, como el "las cepas aman una colina desnuda", de Virgilio. El vino de buena calidad parece proceder de suelos secos (o al menos dotados de buen drenaje), en los que la humedad es relativamente baja.

Con respecto a la luz solar, se ha demostrado que, incluso en año nuboso, las cepas de un viñedo pueden recibir tanta luz como la que puede asimilar, por lo que la importancia del sol consiste en una cuestión de calor, no de luz. Lo que

*Alegoría del otoño*. Francisco del Cossa, Galería Dahlem, Berlín

si es importante es la temperatura. La floración de las cepas comienza en la primavera, cuando el aire empieza a calentar el suelo (en vez de a la inversa, como ocurre en invierno). En otoño, la situación contraria desencadena la decoloración de las hojas.

Tanto el crecimiento, como las demás funciones de la planta se encuentran condicionadas a temperaturas superiores a los 10°C. La asimilación y la transpiración se llevan a cabo con mayor eficacia con temperaturas hasta cierto punto elevadas. Sin embargo, al llegar a los 20°C, la asimilación se ve superada por la evaporación: la cepa solicita más de sus raíces de lo que éstas pueden absorber del suelo, aunque esté húmedo; el proceso de crecimiento y de maduración disminuye su velocidad y finalmente se detiene. Existe, no obstante, una temperatura óptima para las cepas, encontrándose entre los 25 y 28°C.

Es muy importante la orientación de los surcos. Éstos deben estar orientados en de norte a sur, lo que hace que, en los mediodías del mes de septiembre, el calor más intenso del sol recaiga sobre la tierra y las hojas de la vid, mientras que las uvas se encuentran a la sombra. Así, el suelo conserva el calor durante toda la tarde, madurando mejor las uvas.

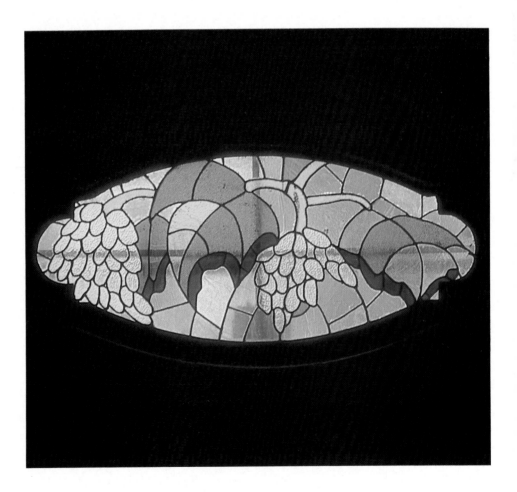

Vitral de uvas
blancas

Viñedo
orientado al
oeste, protegido
de los vientos
por la montaña

Viñedo colocado
en la ladera de
un cerro

La gran profundidad que alcanzan las raíces de la cepa sirve como prueba de que la planta necesita gran cantidad de agua y de que irá donde sea necesario para conseguirla. Una sequía prolongada afecta la maduración. Esta es la razón por la que son vitales los rocíos otoñales y las neblinas que suceden a un verano caluroso; la planta puede absorber suficiente agua a través de sus hojas para mantener sano su follaje.

En lo relativo a la humedad, podemos decir que para la cepa lo mejor es contar con una humedad relativa del 60 al 80%. Humedades más elevadas tienden a causar enfermedades. Los climas "locales" de algunos viñedos se crean principalmente mediante abrigos contra el viento, bien protegiéndose una cepa a la otra, o siendo una elevación del terreno la que resguarde el viñedo. Lo ideal es una pendiente que caiga en dirección al oeste, la cual no solamente elimina el viento de levante, sino que también contribuye a que el sol de los atardeceres de otoño produzca más efecto y las neblinas matinales sean más frecuentes, resultando un beneficio mayor para la cepa.

Una pendiente que caiga en dirección este hace que se desperdicie la mejor parte del día para la maduración.

Estas conclusiones, que favorecen los surcos en dirección norte sur, plantados de ser posible en pendientes con caída hacia el oeste y protegidos por cortavientos, constituyen la receta ideal para cualquier viñedo.

Emparrado

Pasaje bíblico:
Josué y Caleb

Es Dios quien crea el agua,
pero el hombre hizo el vino

VÍCTOR HUGO

# 2. El fruto

## LA UVA

Antes de analizar las distintas variedades de uva que producen los mejores vinos del mundo, tendremos que hacer una breve descripción botánica, para darnos cuenta de cómo está constituido el fruto al que le dedicaremos nuestra atención en los siguientes párrafos.

El racimo está formado por el raspón –conjunto de ramificados pedicelos– y los granos engarzados a él. Presentan distintos aspectos en su forma exterior, según su conjunto esté formado por una o más partes, llamándose simples o ramosos; de acuerdo a como sea el contorno, en alargados, redondos o cónicos; y de la manera como estén reunidos los granos, en compactos, sueltos, etc.

El grano consta de una envoltura externa, que se llama piel u hollejo; de una porción media que ocupa casi todo el contenido, que es la pulpa, y de una parte central donde están alojadas las semillas o pepitas.

100 kilos de uva, se componen de:

| | |
|---|---|
| Raspón | 4 kilos |
| Piel u hollejo | 8 kilos |
| Pepitas o semillas | 3 kilos |
| Pulpa | 85 kilos |
| | 100 kilos |

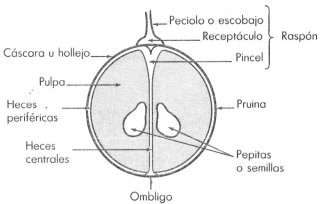

Corte esquemático de una baya de uva

Representación del cultivo de la vid, miniatura de la segunda mitad del siglo XIV, atribuida a Tommaso di Modena, Biblioteca Forli

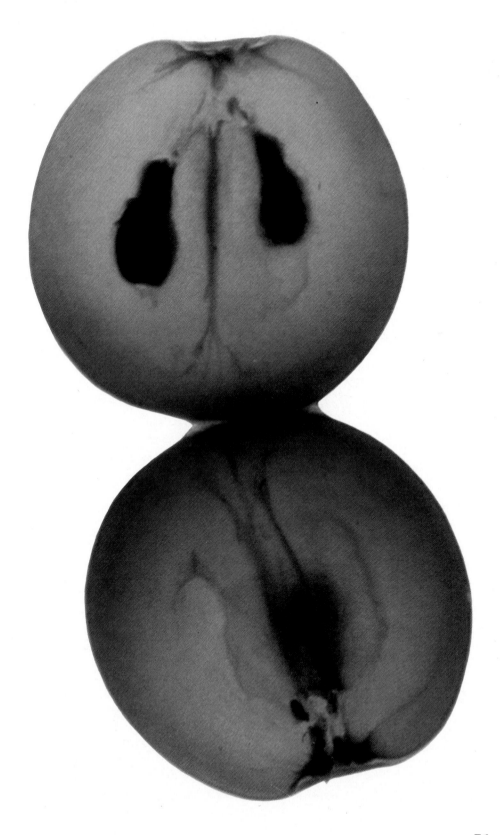

Corte
longitudinal de
una uva

Se llama orujo o brisa, al conjunto formado por el raspón, hollejo y pepitas, una vez extraída la pulpa o mosto. La parte sólida del mosto corresponde únicamente al 0.5% del grano, de modo que en peso, la pulpa es prácticamente igual al mosto.

## HOLLEJO

Está formado de tres capas:

Capa externa: Contiene una sustancia cerosa llamada pruina, a la que se adhieren las levaduras y gérmenes aportados por el viento o los insectos.

Capa media: Contiene las sustancias odorantes, que no están bien identificadas químicamente. También contiene tanino.

Capa interna: Contiene las sustancias colorantes que son: para la uva blanca, la quercitrosida y el quercetrol, de color amarillo; para la uva tinta, la enosida y el enidol, de color rojo.

## PULPA

En la pulpa se encuentra fundamentalmente agua y azúcar. Tanto la pulpa como el hollejo tienen ácidos orgánicos, pero en la pulpa se encuentran en menor cantidad.

## PEPITAS O SEMILLAS

Contienen una elevada cantidad de materias grasas, de tanino y materias resinosas, que pueden comunicar un sabor desagradable al mosto. De ahí la importancia de no romper las pepitas en el prensado, ni prolongar la permanencia de las mismas en el mosto.

La uva es el factor más importante para producir vino. Los vinos de mejor calidad necesitan de tres condiciones esenciales:

1. Óptima calidad, con el equilibrio perfecto entre azúcar y ácido al llegar a su madurez, de modo que el vino resultante esté bien balanceado.
2. Haber sido plantada la vid en el suelo ideal para su crecimiento y nutrición, y bajo condiciones climáticas apropiadas para que pueda producir uvas completamente maduras.
3. Un dedicado y experto viticultor que sepa tratar las uvas.

Existen alrededor de 8 000 variedades de uva que se cultivan, pero de ellas sólo unas cuantas docenas son capaces de dar un buen vino.

Es tan importante conocer el tipo de uvas que se utilizan en la elaboración de los vinos que en varias partes del mundo, sobre todo en California, los vinos se denominan con el mismo nombre de las uvas que los producen, de modo que se puedan identificar con facilidad.

A continuación vamos a revisar únicamente las uvas nobles que producen los mejores vinos del mundo, ya que no sería posible mencionar todos los tipos de uva que se utilizan para fabricar vino.

Vendimia

# VARIEDADES BLANCAS

## CHARDONNAY

Esta variedad tiene hojas lisas o palmeadas de color verde oscuro cuando son tiernas y que cambian a tono más claro cuando son adultas. Sus racimo son pequeños, cilíndricos y de frutos pequeños y redondos, de piel delgada, de color que varía desde el amarillo verdoso hasta el ámbar, según la etapa de madurez. El fruto es de sabor dulce y fresco y de aroma poco penetrante. Hasta hace poco se le consideraba que era la misma uva que la Pinot Blanc, con la cual se encuentra entremezclada en los viñedos en muchos sitios de Borgoña. Este tipo de uva produce un excelente vino blanco seco. Existen varias regiones en el mundo en donde se producen vinos elaborados con uva Chardonnay. A continuación enlistamos las regiones más famosas y sus vinos principales.

1. Champagne: en esta región se hacen los más famosos vinos espumosos, con la mezcla de Chardonnay y Pinot Noir. El vino Blac de Blancs está hecho en su totalidad de uva Chardonnay.
2. Chablis: región en donde se producen los vinos de este mismo nombre.
3. Borgoña: en la côte d'Or se encuentran los vinos blancos secos más finos del mundo, como son el Montrachet, Chevalier Montrachet, Puligny-Montrachet, Chasagne Montrachet, Mersault, Corton Charlemagne, Clos de Vougeot Blanc, etc. y el tinto Musigny que se hace con mezcla de Chardonnay y Pinot Noir.
   En las regiones de Chalonnays y Maconnais se fabrican los conocidos vinos Poully-Fuissé, Poully Loché, Maconnais y Saint Verán.
4. California: esta es una de las regiones del mundo en donde la uva produce excelentes vinos, probablemente los mejores de norteamérica.
5. México, Australia y otros países del mundo, en donde se mezcla con otras uvas.

## RIESLING

Las hojas son de tamaño mediano, redondas y algo palmeadas. Los racimos pequeños y bastante compactos. Las uvas son pequeñas, redondas y amarillas, con pequeñas manchas, como pecas, en la piel.

El injerto de uva Riesling y Sylvaner produce Müler Thurgau. El injerto de Riesling y Muscadelle de Bordelais (hecho en la universidad de California), da la Emmerald Riesling.

Junto con la Chardonnay, produce los mejores vinos blancos del mundo, los cuales tienen exquisito sabor, suave tersura y gran aroma.

Originalmente la uva procede de los viñedos situados en las orillas del Rhin y data del siglo XII, aunque algunos creen que fue plantada por los romanos en las

Uvas Riesling

orillas del Ródano, en el siglo III. Es la uva noble de Alemania y Alsacia, aunque los vinos son muy diferentes en los dos países y reflejan el gusto de los paladares: los alemanes son vinos dulces y los alsacianos son secos.

Las uvas tienen un alto contenido de azúcar y esto es lo que determina la clasificación de los mejores vinos alemanes. Los más finos del Rhin y del Mosela se denominan: Spätlese, cuando se hacen con uvas recogidas al final de la temporada de vendimia; Auslese, cuando se hacen con uvas vendimiadas tardíamente y se seleccionan los racimos; Beerenauslese, cuando las uvas se seleccionan una tras otra y Trockenbeerenauslese, cuando el vino se hace con uvas atacadas por la "podredumbre noble" o Edelfaule, debida a la acción del hongo *Botrytis cinerea*, que atraviesa la delicada piel de la uva, permitiendo que el agua se evapore y se concentre el azúcar. Estas uvas se deshidratan y su aspecto es el de las uvas pasas. Este fenómeno no ocurre todos los años, porque se necesitan ciertas condiciones climatológicas para que se desarrolle el hongo.

Esto explica la rareza de estos vinos y el precio elevado que se pide por ellos. La uva Riesling también se cosecha en otros países, como Austria y la costa de California, en donde los vinos son etiquetados como Johanisberg Riesling para diferenciarlos de otros vinos Riesling elaborados con otros tipos de uva.

Uvas Sylvaner

## SYLVANER

Las hojas son de color amarillo verdoso, sin vello en la superficie. Los racimos son de tamaño pequeño o mediano y de forma cilíndrica y compacta. La uva es de tamaño mediano, esférica, carnosa, de color entre amarillo y verde, con pecas y la característica principal de la uva es que su piel es gruesa.

Las uvas brotan tardíamente pero maduran temprano. El vino que produce se caracteriza por su juventud y ligereza y puede llegar a ser muy seco, como se acostumbra en Alsacia, o suavemente dulce como es el gusto en Alemania.

Los mejores vinos Sylvaner se producen en Franconia, alrededor de la ciudad de Würzburg, en donde la uva se conoce como Franken Riesling. Estos vinos son de mejor estilo y acierto, especialmente cuando las uvas son cosechadas en forma tardía, como en los vinos Stein de Würzburg. En otras regiones de Alemania, como en Nahe, Baden, Rheingau, a la uva se le conoce como Oesterreicher. Las mayores plantaciones se encuentran en Rheinhessen y el Palatinado, donde constituye el 75% de los viñedos. En Rheingau sólo corresponde al 15% de los plantíos. También se producen vinos de esta uva en Luxemburgo, Suiza y Hungría.

## TRAMINER

También llamada Gewurztraminer, es de hojas toscas, de color verde apagado con tres a cinco lóbulos. Los racimos son pequeños y compactos, de forma redonda. El fruto es pequeño de forma oval, piel gruesa y de un color que va del tono rosado a tonalidades cafés, lo que confiere su característica principal. La uva madura se distingue por su aroma y su sabor picante, a especias, de donde deriva su nombre.

El vino que produce es característico, inolvidable en su sabor a especias, suave y perfumando. Algunos piensan que los orígenes de esta uva se hallan en el Medio Oriente y que de ahí fue llevada a Yugoslavia. Se encuentra en Hungría y Rumania con el nombre de Formentín. Los países que más fielmente adoptaron esta variedad de uva fueron Alemania, Austria y Alsacia.

## CHENIN BLANC

También se le conoce por Pineau de la Loire y tiene hojas de color verde grisáseo, de tres a cinco lóbulos, con nervaduras de color rojo. Los racimos son medianos o grandes, de forma cónica y muy compactos. El fruto es de tamaño mediano, forma oval y piel gruesa.

Su historia se inicia con las primeras plantaciones en el Valle del Loire, durante el siglo XIV.

Esta uva generalmente produce un vino seco, afrutado, pero en los mejores años de cosecha puede verse atacada por el hongo *Botrytis cinerea* y entonces produce vinos con sabor a miel que se venden con la etiqueta de Moelleux. El vino más conocido es el Vouvray. Otros vinos que produce esta uva son: el Blanc de Anjou, el Chenin Blanc, el Coteaux de Layon, el Coteaux de Saumur y los vinos espumosos de Saumur.

## SEMILLÓN

Las hojas son ásperas, grandes y redondas con tres a cinco lóbulos que cubren del sol y exceso de luz a los racimos grandes, de forma cónica, con uvas de tamaño mediano, redondas, de pulpa suave y piel delgada.

Cuando están maduras tienen color amarillo intenso y a veces ámbar dorado, con un rico aroma y afrutado sabor, parecido al higo. El vino que producen es muy delicado y puede ser seco o dulce.

Esta uva se encuentra en la localidad de Sauternes desde los primeros siglos de nuestra era y es aquí donde el clima permite que en la mayoría de los viñedos se sobremadure la uva, por acción del *Botrytis cinerea*, dando origen a los más extraordinarios vinos dulces del mundo. La "podredumbre noble" suaviza la piel de la uva y permite que se deshidrate, por lo que toma el aspecto de uva pasa, con

Uvas Semillón

gran contenido de azúcar y acidez. La fermentación del mosto se lleva a cabo lentamente y el resultado es un vino con un equilibrio perfecto entre ácido, azúcar y alcohol, el cual tiene intenso aroma floral y sabor amielado, que en una buena parte es dado por el hongo.

*La tempestad.* Acto IV, *The Illustrated Shakespeare*

# VARIEDAD

## PINOT NOIR

Tiene hojas de color verde claro, con tres a cinco lóbulos muy bien marcados y de aspecto tosco. Los racimos son pequeños, cilíndricos y bastante compactos.

Las uvas son de tamaño mediano, de forma oval, con piel profundamente pigmentada y contienen gran cantidad de semillas. Esta variedad de uva se conoce desde el siglo I de nuestra era.

En el siglo XV el duque de Borgoña, Felipe el Calvo, ordenó que se destruyeran los sembradíos de uva Gamay, en el norte del distrito, para que únicamente se sembrara Pinot Noir, por ser una uva noble. Esta uva constituye una parte importante en la elaboración del champagne, porque aunque su piel es negra, la pulpa es blanca y permite hacer vinos blancos de exquisita suavidad y aroma.

Los grandes vinos borgoñeses de la Cote D'Or son hechos con el 100% de esta uva y se describen como vinos tintos con penetrante y distintivo sabor y de textura sedosa, lo que los hace tener gran distinción y fortaleza.

Vinos tan famosos como Chambertin, Clos de Vougeot, Musigny, Romanée Conti y Richbourg son elaborados con esta uva.

Además de Francia, también se cosecha en Alemania, Suiza, Austria, Hungría, Rumania, Italia, Sudáfrica, Australia, Chile, California y el noroeste de México. En Alemania, la uva fue llevada por San Bernardo de Clairvoux en el siglo XII y se le conoce con el nombre de Spätburgunder. Se cultiva principalmente en Rudeshein y en la Selva Negra.

Emparrado de
uvas Pinot Noir

Racimo de uvas
Pinot Noir

## CABERNET SAUVIGNON

Las hojas son medianas o grandes, de uno a siete lóbulos bien marcados y nervaduras perfectamente expuestas. Los racimos son pequeños, de forma cónica y de constitución floja. El fruto es pequeño, redondo, de piel gruesa y muy pigmentada. Al llegar a su madurez, desarrolla un perfumado aroma y sabor penetrante.

Uvas Cabernet Sauvignon

Durante la época de la dominación romana, se descubrió una variedad de uva en la región de Burdeos, con todas las características de la Cabernet Sauvignon y es esta región de Francia la que se considera su hogar.

Aunque los excelentes vinos tintos de Burdeos se hacen con mezcla de uvas, todas ellas tienen siempre un alto porcentaje de Cabernet Sauvignon.

Las casas productoras de vinos en Pauillac utilizan alrededor del 75% de Cabernet Sauvignon, pero algunas utilizan una proporción aún mayor, como el Chateau Lafitte, que se hace con 2/3 partes de esta uva, 1/6 parte de Cabernet Franc y 1/6 parte de Merlot. El vino del Chateau Mouton Rothschild se hace con 90% de Cabernet Sauvignon, 5% de Cabernet Franc y 5% de Merlot. En otras regiones de Burdeos, como Saint Emilion y Pomerol, se utiliza el 55% de Cabernet Sauvignon, 22% de Cabernet Franc y 23% de Merlot.

Estos vinos están considerados como de los mejores tintos del mundo y su suavidad aterciopelada, junto con el profundo *bouquet* que desarrollan en la botella, los hacen tener características de perfección. Los ingleses siempre han sido consumidores de estos grandes vinos, a los que llaman claretes.

La uva Cabernet Sauvignon se cultiva en muchos países del mundo y en América es la que produce los mejores vinos tintos, tanto en Chile como en California y ahora en México.

## MERLOT

Sus hojas son de color verde oscuro, con lóbulos bien definidos, en número de cinco o siete. El racimo es de tamaño mediano y de forma cónica alargada, lleno, pero no compacto.

Uvas Merlot

El fruto es de tamaño mediano, ligeramente ovalado, de piel gruesa bien pigmentada, que cuando madura se vuelve azul negruzco.

La Merlot es una de las variedades más finas de uva que se utiliza para hacer vinos titnos, y en la región de Burdeos se le considera sólo por abajo de la Cabernet Sauvignon. Sin embargo, en algunos distritos, como Pomerol, constituye la variedad principal para las mezclas. El afamado vino de Château Petrus, está elaborado con 90% de uva Merlot y el Château Cheval Blanc de Saint Emilion, utiliza 1/3 parte de Merlot. En cambio, en el Medoc, está considerada como uva para mezcla, pues le presta suavidad y redondez a los vinos hechos con Cabernet, que generalmente tienen un alto contenido de acidez y tanino.

La Merlot es ampliamente cultivada en Italia. En Chile se encuentran plantíos extensos de esta variedad.

## GAMAY

Tiene hojas grandes y toscas y sus racimos son grandes, compactos y de forma cónica, los frutos son grandes, redondos y de piel algo gruesa, con poca pigmentación.

Uvas Gamay

Existen dos variedades de esta uva: la llamada Gamay Noir en Francia, que produce vinos ligeros de tipo ordinario y la Gamay Beaujolais que se utiliza en los Beaujolais de mayor distinción, los llamados Beaujolais Villages y los nueve Crus de la región, los cuales tienen sus propios nombres.

El vino Beaujolais, fresco y ligero, debe tomarse joven y es uno de los más populares de Francia, por ser un vino agradable y poco costoso. Actualmente está de moda el llamado Primeur o Nouvelle Beaujolais, un vino con las mismas características, de elaboración más precoz.

## GRENACHE

Los racimos son grandes y compactos, de forma cónica. Las uvas son de tamaño mediano, casi esféricas y de color rojo violáceo, casi negro.

Al parecer, esta variedad proviene de España, en donde se le conoce como "garnacha" y se utiliza fundamentalmente en los vinos de Rioja y Cataluña. El vino que produce es suave y perfumado.

El problema de esta uva es que tiene poca pigmentación en la piel por lo que se utiliza para la confección de vinos rosados o bien como vino de mezcla, para combinarlo con uno más oscuro. Se cultiva en el sur de Francia, en la Provence y el Languedoc Rousillon y en la parte sur del valle del Ródano, en donde se producen los famosos vinos de Châteauneuf du Pape, Gigondas y Côtes de Rhone. También se hacen los mejores vinos rosados, como el Tavel y el Lirac. En otras áreas del Mediterráneo, como son Marruecos, Argelia, Túnez y Córcega, también se cultiva esta uva.

## SYRAH

Sus hojas son de color verde rojizo oscuro, con cinco lóbulos muy bien marcados. Sus racimos son de tamaño mediano, forma cónica y con hombros muy definidos. El fruto es pequeño, ovalado y fuertemente pigmentado. La uva produce vinos de color oscuro y muy robustos, con aroma a grosella negra, con un alto grado de tanino cuando son jóvenes, y ricos cuando se han desarrollado.

La uva Syrah llegó al Valle del Ródano en la época de las Cruzadas, cuando los combatientes regresaban de la ciudad de Shiraz en Persia, a finales del siglo XII. Existen tres plantíos en el Valle del Ródano que hacen los mejores vinos, cuyo aroma a veces recuerda a la de la pimienta negra. Los vinos de los plantíos situados más al norte se hacen con 80% de Syrah y 20% de Viognier; estos vinos son etiquetados como Côte Rotie y su producción es muy limitada. En la población de Tain L'Hermitage, los plantíos situados arriba de la colina producen la uva con la que se hace el vino Hermitage y los plantíos situados abajo de la colina dan origen a los vinos Croizes-Hermitage, de menor categoría, pero también muy buenos. Ambos se elaboran con 100% de uva Syrah, y alcanzaron su mayor gloria en el siglo pasado, cuando se estimaban tanto como los mejores vinos de Burdeos. La uva también se cultiva en Australia. En California y México existe una variedad de esta uva que se llama Petite Syrah.

## NEBBIOLO

Tiene hojas medianas o pequeñas, de color verde oscuro y con cinco a siete lóbulos. Los racimos son de tamaño mediano, de forma cilíndrica y a veces alargada. El fruto es ovalado y poco pigmentado en la parte superior.

La parte central del Piamonte Italiano, es la cuna de los mejores vinos hechos de uva Nebbiolo. El mejor de ellos, el Barolo, es áspero cuando es joven, pero después de dos años en barrica y unos cuantos más en botella, se convierte en un exquisito vino, con un aroma rico y especioso y un agradable sabor a humedad y olivo.

Hay dos vinos que son los hermanos menores del Barolo y que se llaman Barbaresco y Nebbiolo, los cuales son más ligeros, pero igualmente buenos en aroma y sabor.

## MADEIRA

Sus hojas son de tamaño mediano, de tres a cinco lóbulos y con vellosidades en la cara. Los racimos son muy compactos y la uva es alargada, de tamaño mediano y color negro azabache, con piel gruesa pero suave. La uva proviene de las islas Madeira y de la gran familia de uvas tintas. Esta uva produce vinos secos o dulces, pero los dulces son más apreciados como vinos de postre.

En Portugal, aunque el Oporto se hace de mezcla de uvas, con las variedades principales Touriga y Souzao, los oportos más oscuros deben una parte de su riqueza y color a esta uva.

Uvas antes de la vendimia

## SOUZAO

Sus hojas tienen tres lóbulos muy marcados, de textura gruesa y vellosidad blanca y abundante en su cara interior. Los racimos son cilíndricos y compactos y la uva es redonda, de tamaño mediano y con intensa pigmentación, lo cual les da un tono negro azulado. Al madurar, el intenso color del pigmento de la piel pasa a la pulpa.

Se cree que esta variedad se originó en Portugal hace muchos siglos y el vino de Oporto se hace con unas 30 variedades diferentes de uva, de diferentes cosechas, que producen tres tipos de vino: el Ruby, oscuro, rico y de excelente cuerpo; el Tawny, ligero y seco y en años excepcionales, el Vintage Port, el más fino y de gusto exquisito. Los ingleses fueron los primeros en aficionarse a este vino, que se convirtió en su bebida nacional.

Vendimia

*Refinad los embelesos. Si bebéis bebed siguiendo las ochenta o noventa reglas del arte de beber; si amáis excedeos en delicadeza.*

AIEISTER CROWLEY

*Labores en el viñedo.* Ilustración tomada de un libro alemán del siglo XIX

*Sólo sé de dos cosas que ganan con la edad: El vino y una amante*

LOPE DE VEGA

# 3. Vinificación

L as uvas deben ser cosechadas cuando el grado de madurez sea el adecuado para el tipo de vino que se quiere elaborar. Es de suma importancia determinar el momento preciso del inicio de la vendimia y esto lo determina la maduración exacta de la uva. Uno de los problemas con los que se encuentra el vinicultor es la imposibilidad de estrujar gran parte de su cosecha que ha llegado al grado de madurez deseable, al mismo tiempo; por lo tanto, debe existir una relación constante con el superintendente o con el vendedor del viñedo para arreglar su calendario de recolección.

Corte de uvas
tintas durante la
vendimia

Corte de uvas
Gamay durante
la vendimia

Para solucionar este problema se debe mantener un control estricto de la madurez, muestreando constantemente cada variedad de cepa, cada viñedo, y diferentes partes del mismo viñedo donde se pueden encontrar grados de madurez distintos; en pocas palabras, las pruebas de campo deben ser representativas de la cosecha en general.

Normalmente se empiezan en el mes de agosto y continúan hasta que la cosecha se encuentre avanzada, o bien cuando se hayan terminado de elaborar los calendarios de corte. Otra solución para obtener calendarios adecuados de corte es ampliar la bodega de fermentación para poder recibir un mayor porcentaje de cosecha madura al mismo tiempo. Es muy recomendable tener cuartos de fermentación separados para vinos tinto y blanco.

Corte de uvas
Semillón durante
la vendimia

Los mejores vinos son producidos cuando la planta vinícola consigue una fuente constante de variedades de uva de alta calidad año con año. El número limitado de tales variedades recibido anualmente y la alta calidad del fruto, hacen que el vinificador llegue a estar tan familiarizado con las características de las cepas, como de la fermentación. El envejecimiento y el cuidado que aprende a obtener le proporcionarán las mayores ventajas. Dos de los problemas con los que se encuentran las pequeñas compañías vinateras que fabrican vinos finos es la imposibilidad de encontrar la alta calidad de las uvas y la misma variedad de cepa año con año.

La elaboración
del vino en la
Edad Media

# MADUREZ

La fecha de recolección viene determinada por el momento en que la uva alcanza su madurez. La madurez no corresponde siempre al máximo contenido de azúcar posible, sino al grado requerido según el destino que se le quiera dar al fruto, si va a ser utilizado para mostos, vinos corrientes, vinos generosos, espumosos, etc. La madurez puede precisarse mediante signos externos y por métodos analíticos. Los signos externos de madurez en la vid son los siguientes.

Aspecto general
de la vendimia

Uvas Cabernet
Sauvignon en su
punto de
maduración

- Racimo colgante sin rigidez.
- Colorido de granos más o menos amarillo-dorado en la uva blanca, rojo-violeta en la rosada o azul-negruzco en la uva tinta.
- Los granos pierden dureza; piel flexible y transparente en las variedades blancas.
- Pedúnculo suelto y amarillento en algunas variedades, rojizo pero jamás verdoso.
- El sabor del grano es dulce y agradable aun en aquellas variedades ácidas o de bajo grado de azúcares.

Uvas Riesling a punto para la vendimia

# DETERMINACIÓN DEL ÍNDICE DE MADUREZ

Basada esta determinación en la relación de los azúcares con los ácidos y resultando que a medida que madura el fruto aumentan los azúcares y disminuyen los ácidos, los valores expresivos del índice serán tanto más altos cuanto más maduro sea el fruto. La fórmula de cálculo más corriente es:

$$\text{Índice de madurez} = \frac{\text{Grado Baumé a 15°C} \times 10}{\text{Acidez total en gramos \% expresada en ácido tartárico}}$$

Las mediciones de los azúcares, sean con densímetro o con refractómetro, y la de acidez total, expresada en gramos de acidez tartárica por litro, se efectuarán siempre a una misma hora, entre once de la mañana y una de la tarde como más normales. Deberán consultarse las correspondientes tablas de correciones de densidad y grado cuando la temperatura sea distinta a 15°C. Realizando las observaciones cada tres o cuatro días, llegará un momento en que los valores obtenidos serán cada vez más aproximados entre sí, hasta igualarse, al no experimentar variación alguna. Entonces es cuando puede precisarse que el fruto ha alcanzado el índice de madurez óptima.

Vendimia

# ÍNDICE DE MADUREZ SUFICIENTE

Las condiciones exigidas para un índice de madurez industrialmente aceptable han de ser las necesarias para que el mosto fresco obtenido reúna las siguientes características, señaladas como normas legales:

1. Sólidos solubles: el contenido no será inferior a 160 g/l.
2. Azúcares: su contenido (glucosa más fructuosa) no será inferior a 150 g/l.
3. Acidez total: estará comprendida entre 3.5 y 10.5 g/l, expresada en ácido tartárico (46 a 140 miliequivalentes por litro).
4. Acidez volátil: será inferior a 0.15 g/l, expresada en ácido acético (2.5 miliequivalentes por litro).
5. Alcohol etílico: su contenido no excederá del 1% en volumen, siempre que sea procedente de la propia fermentación anticipada.
6. Sulfatos: contenido inferior a 2 g/l, expresados en sulfato potásico. Los mostos destinados a la elaboración de ciertos vinos podrán contener mayor cantidad.
7. Sabor y aroma: serán los característicos de la variedad o variedades de uva de que proceda el mosto, exento de sabores y olores extraños.

Estrujado de las uvas

Tres aspectos
de la vendimia
en el Valle de
Calafia, Baja
California,
México

Fiestas de la vendimia en Jerez de la Frontera, España

## TRANSPORTE Y RECEPCIÓN DEL FRUTO

Tan importante es la forma de transportar el fruto hasta la bodega, que actualmente todas las primerísimas industrias vinícolas, con viñedo propio o bien adquirientes de uva por razón de seleccionar variedades o completar su producción, han prestado una primordial atención a la cuestión del transporte.

En muchas regiones prevalece todavía el sistema de recogido en comportas y portaderas, en las que se aplasta el fruto, y en consecuencia en días de calor y largo transporte, llega a la bodega alterado por haber iniciado muchas veces una lenta fermentación primaria. El transporte en cestas o cubetas con fruto entero es recomendable, y esta modalidad ha sido adoptada desde un principio para uva destinada a vinos espumosos de cava y en general, para elaborados selectos en crianza.

Buscando simplificar la manipulación y carga del fruto del viñedo, han sido puestas en práctica algunas soluciones como son las que mecanizan totalmente la vendimia mediante máquinas cosechadoras-cortadoras, que cumplen satisfactoriamente las exigencias de conservar la integridad del fruto y el ahorro de tiempo y mano de obra. El transporte con cajas basculantes e intercambiables es una de las modernas soluciones orientadas para atender la recogida simultánea en diversos parajes, entre agrupaciones de cosecheros y aquellas bodegas que adquieren fruto en localidades muy distantes. Con este sistema un solo hombre llega a organizar el transporte de un considerable tonelaje en una jornada normal de trabajo.

La determinación del grado Baumé (Be), o lo que es lo mismo, el contenido de azúcares, comprende no únicamente la valoración del fruto, sino una orientación de gran interés para el elaborador. No cabe duda que si para cada vendedor es esencial saber la riqueza aportada en azúcares, con mayor razón para el vinicultor. La fórmula siguiente expresa una unidad muy importante para la elaboración de la uva, pues más interesante que saber el volumen entrado, será conocer:

Recolección de
uvas durante la
vendimia, dentro
del viñedo

Recolección
fuera del viñedo

Camiones
cargados de
uvas, que llegan
a la planta de
vinificación

Camiones en
espera de turno
para ser pesados

Sistema
automático de
descarga de
uvas en el lagar

$$\text{Peso en kilogramos} \times \text{riqueza en grados B}e = \text{kilogrados}$$

Las valoraciones de grado B*e* mediante el mustímetro, con la oportuna corrección según la temperatura, aun cuando puedan aproximarse bastante a la exactitud práctica, son siempre lentas y supeditadas a ciertos errores, tanto visuales como de criterio. Los refractómetros automáticos han sustituido a los clásicos mustímetros o pesamostos, superando algunos inconvenientes que éstos ofrecen.

# OBTENCIÓN DE MOSTOS

El pisado de la uva es la práctica enológica más antigua que se conoce. Data desde el primer día que el hombre quiso obtener mosto de uva. No obstante, ha subsistido a la instalación de máquinas y de las mismas prensas en todas sus clases. Todavía hoy en día, en el área mundial del viñedo, existen comarcas que siguen practicando el pisado de la uva, aparte de otras en que esta operación la sustituyen aplastando el fruto con las manos sobre una amplia mesa, esta larga persistencia del sistema empírico, que debería haberse suprimido hace muchos años en todas partes, se debe a la superioridad integral que muestra el fruto aplastado sin dilaceraciones que afecten directamente a los hollejos, pepitas y raspones.

No cabe duda que el mosto obtenido mediante aplastamiento del fruto resultará siempre con menos suspensiones orgánicas y residuales, estando exento de los posibles gustos astringentes de raspones muy herbáceos. Industrialmente, este procedimiento fue mecanizado mediante los estrujadores de rodillos más o menos estriados y regulables para no dañar ni triturar los hollejos, pepitas o raspones. Pero, en otro orden tecnológico, en la obtención de mostos para ciertos vinos elaborados como son algunos espumosos o para zumos refescantes, se prescinde del estrujado y la uva entera pasa directamente a prensas sin otro escurrido que el que resulta de la presión ejercida. La fluidez del mosto es bastante inferior y son necesarias repetidas operaciones de prensado para alcanzar un aprovechamiento, en el agotado, económicamente rentable. Por otra parte, no todo el mosto de los prensados sucesivos tiene una calidad similar al del pimer escurrido de prensa.

Vista posterior
de una
estrujadora

Finalmente, como veremos más adelante, se puede prescindir también del proceso de elaboración (estrujado, escurrido y prensado para obtención del mosto), pasando directamente de la uva entera al proceso de transformación (fermentación o maceración directa del fruto, tal como llega a la bodega). En realidad este sistema de maceración con uva entera no es una práctica nueva o reciente. Algunas regiones vinícolas con producción selecta de uva, condición especial para su éxito, la venían practicando hace ya muchos años, si bien con ciertos contratiempos debido al desconocimiento de algunos principios científicos, hoy dominados por la técnica.

Todas estas variantes opcionales y otras evolutivas en la elaboración y transformación han aconsejado, y en otros casos exigido, nuevos procedimientos en la manipulación de la uva durante el proceso de recepción y su traslado a máquinas.

Los viñedos de
Medoc, 1871

*El vino es un ser viviente.*
*No sólo se hace con uva y fermento;*
*también con destreza y paciencia.*
*Cuando lo bebas, recuerda que para*
*hacerlo se emplearon no simplemente*
*el trabajo y el cuidado de muchos años,*
*sino también la experiencia de siglos*
*y siglos.*

ALLAN SICHEL

# LA VINIFICACIÓN COMO PROCESO DE TRANSFORMACIÓN

Entendemos por vinificación el proceso mediante el cual, y a través de distintas fases, el mosto se transforma en vino por el fenómeno químico biológico de la fermentación alcohólica, debida a la actividad de las levaduras, y en la cual los azúcares del mosto se convierten en alcohol y en anhídrido carbónico, acompañado de otras reacciones químicas y actividades de otros microorganismos y fermentos.

Deben distinguirse dos métodos de vinificación:

1. La vinificación inmediata, o sea, a partir del momento que ha sido obtenido el mosto.
2. La vinificación diferida, realizada posteriormente con mostos conservados, que son restablecidos a su primitiva condición de mostos fermentables.

Prensado

La vinificación inmediata es el método más corriente, posiblemente el más racional por razones tecnológicas, aunque a veces no resulte el más adecuado, según las circunstancias enotécnicas, y comprende distintos sistemas clásicos y otros de técnica reciente, que se describirán más adelante. En cambio, en la vinificación diferida el sistema es único, requiere mayores exigencias y especiales precauciones, pero ofrece la oportunidad de elaborar vinos distintos en cualquier momento, según la demanda del mercado y, asimismo, en las disponibilidades de mostos conservados. Este método se asemeja a la forma de elaboración continuada, como trabajan las demás industrias de bebidas.

## LA FERMENTACIÓN ALCOHÓLICA

Para que la fermentación alcohólica se produzca de manera favorable, son necesarias varias condiciones, comprendidas en tres grupos:

1. Condiciones biológicas: levaduras, su selección, desarrollo y acción.
2. Condiciones físicas: temperatura, presión y operaciones mecánicas.
3. Condiciones químicas: ácidos, oxígeno, sustancias y procesos químicos.

Vaciado de uvas a la tina de recepción

# CONDICIONES BIOLÓGICAS

Muchos son los tipos de levadura que intervienen, variando según las regiones. Igualmente, pueden adicionarse otras levaduras activas previamente cultivadas y seleccionadas.

Las levaduras auténticas se encuentran en cualquier lugar de la naturaleza y abundan en las regiones vitícolas. Persisten en forma de esporas en las capas superiores de la tierra de los viñedos hasta que la lluvia y el viento, o los insectos, las transportan a finales de verano y en otoño hasta la uvas, pasando después al mosto. Las uvas, que aun antes de haber madurado por completo han sido picadas y estropeadas por avispas y pájaros, constituyen auténticas incubadoras de gérmenes fermentativos. Las zonas vitícolas presentan generalmente una tierra rica en numerosas especies y variedades de levadura.

Las levaduras más importantes, consideradas como auténticas para la elaboración de vinos, son las comprendidas dentro del género *Saccharomyces*, que ofrece diversas variedades. Las que producen la fermentación alcohólica del vino son: *Saccharomyces ellipsoidus* y *Saccharomyces pasteurianus* como esenciales. Son las que producen mayores cantidades de alcohol (hasta 145 gramos por litro) y son relativamente sensibles a los ácidos y a los taninos: tienen mayor resistencia al ácido sulfuroso que otros organismos fermentables. Las *Saccharomyces apiculatus* aparecen siempre en las uvas y otras frutas, y poseen una capacidad de reproducción muy notable. Intervienen en el primer momento de la fermentación y se encuentran en grandes cantidades en todos los zumos de uva, pero por ser muy poco resistentes al alcohol pronto dejan de actuar, y a medida que avanza la fase de fermentación son progresivamente desplazadas por las *Saccharomyces ellipsoideus* y *Saccharomyces pasteurianus*, que son más resistentes al alcohol. Las *Saccharomyces apiculatus* impiden a veces el curso normal de la fermentación, influyendo sobre la calidad del vino, formando ácidos volátiles, como el acético, y ésteres igualmente volátiles, por lo que deben considerarse como microorganismos perjudiciales en la fermentación, produciendo sólo pequeñas cantidades de alcohol, entre 30 y 50 gramos por litro.

Por ello, cuando se procede a una selección de levaduras para su adición al mosto-vino se eligen, perfectamente dentro del género *Saccharomyces*, en sus variedades más idóneas, según la tipificación del producto que se va a elaborar.

Otro tipo de levaduras, aisladas por Kroemer y Krumbholz a partir de uvas pasas seleccionadas entre las más ricas en azúcar, son las osmófilas, insensibles a las concentraciones máximas de azúcar, pero que sólo producen pequeñas cantidades de alcohol.

Las levaduras auténticas se producen por gemación. En condiciones favorables se forman, a un lado de la célula de levadura, uno o varios brotes que al cabo de pocas horas alcanzan la dimensión de la célula madre y se desprenden de ella. Inician el proceso de fermentación en los zumos recientes de uva y de otras frutas. Durante este proceso las levaduras producen la zimasa, que actúa sobre los azúcares del líquido fermentable, transformándolos en alcohol y dióxido de carbono. La fermentación alcohólica no se lleva a cabo por una sola especie de levadura, sino por muchas.

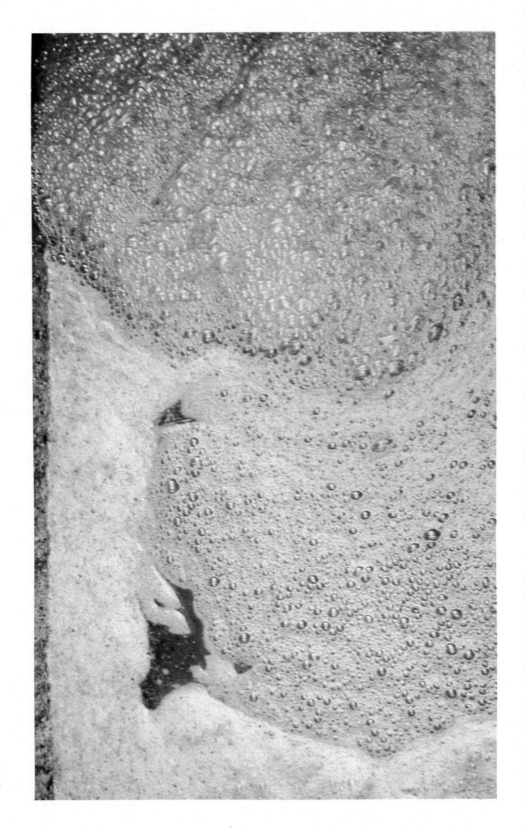

Mosto (jugo) de
uvas blancas

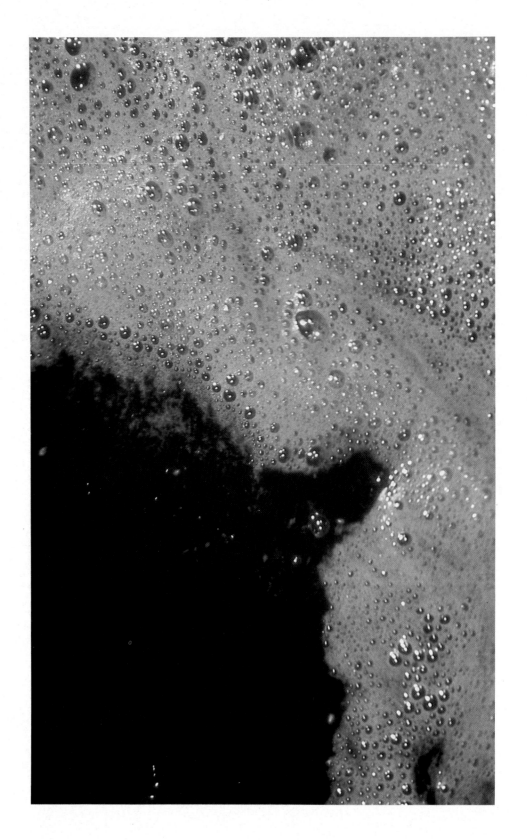

Mosto de uvas
tintas

# CONDICIONES FÍSICAS

La temperatura es un factor de influencia decisiva para las actividades de las levaduras. La temperatura más adecuada para su reproducción y la fermentación oscila de 22 a 27°C, y se reproducen con mayor rapidez cuando la temperatura es de 25°C. A temperaturas superiores a 30°C las levaduras pierden capacidad para desdoblar los azúcares, y al aproximarse a 40°C dejan de crecer y reproducirse. En lo que respecta al vino, mueren en cuanto alcanzan temperaturas de 45 a 55°C, a diferencia de lo que ocurre en el mosto, donde resisten hasta los 65°C.

La circunstancia de que en el vino mueran antes es debido a que el contenido alcohólico refuerza la acción destructora del calor. Y en cualquier caso, cuando la temperatura sobrepasa de los 30°C aun cuando la fermentación se desarrolle aparentemente bien, hay una pérdida de alcohol, motivada por el violento burbujeo del anhídrido carbónico en caliente y además un aumento de la acidez volátil con pérdidas de aroma, adoleciendo el vino de sabor agridulce.

Si la temperatura es inferior a 3°C no es posible el desarrollo de las levaduras ni su actividad fermentativa; sin embargo, se mantienen con vida, aunque no realizan ninguna actividad.

El comportamiento de las levaduras del vino frente a la acción del calor depende sobre todo de la clase de especie a que pertenezcan, de su edad, de su fuerza y de las condiciones externas. Las llamadas levaduras de fermentación en frío ejercen una lenta actividad aun a temperaturas de 6°C e incluso inferiores a ésta. Las levaduras de fermentación en frío corresponden a especies distintas como la *Wadenswie schloss*, aislada por Osterwalder (1934), que fermenta los zumos a temperaturas bajas (5°10°C).

La fermentación alcohólica se desarrolla independientemente de la presencia del aire. Las levaduras, en cambio, dependen de su presencia y actúa de manera distinta cuando aquél tiene acceso al zumo de uva o mosto. Se producen en grandes cantidades cuando el líquido de fermentación está aireado. Sucede entonces que consumen la mayor cantidad de los azúcares existentes, utilizado para edificar sustancias constitutivas y de esta manera queda limitada la proporción de azúcares disponibles para la fermentación alcohólica. Puede impedirse, sin embargo, el acceso de aire desde el principio, a fin de que las levaduras sólo puedan reproducirse en cantidades limitadas y sigan transformando gran parte del azúcar en alcohol y dióxido de carbono, según la siguiente ecuación de Gay-Lussac:

$$C_6H_{12}O_6 \longrightarrow 2CH_3CH_2OH \longrightarrow 2CO_2$$

| azúcares | alcohol | dióxido de carbono |

Este proceso tiene lugar precisamente porque la energía que necesitan las células para subsistir sólo pueden obtenerla, a falta de aire, merced a la fermentación.

Transportación del vino en ánforas

Las levaduras que disponen de aire limitan la cantidad de azúcares disponibles para la fermentación alcohólica a un 75%. Cuando no penetra el aire queda un 90%.

En resumen, para preparar una levadura apta para la elaboración de vino se requiere una reproducción rápida y cuantiosa de las células, lo que se logra mediante el aporte constante de aire al líquido. Por el contrario, para elaborar vino rico en alcohol hay que limitar el acceso de aire a los mostos, sometiéndolos a un pretratamiento de sulfatación.

Desde otro aspecto, las levaduras auténticas han de persistir en la competencia establecida con los microorganismos que concurren durante el comienzo del proceso fermentativo. La formación de alcohol y el desplazamiento del aire por medio del dióxido de carbono que se está formando impiden el desarrollo de los hongos y bacterias, con promedio de las levaduras. Esta lucha se fomenta considerablemente sometiendo el mosto reciente a un pretratamiento de sulfatación que elimine el oxígeno necesario para el desarrollo de los micoorganismos aerobios.

Los compuestos nitrogenados son indispensables para la vida de las células fermentativas, y si bien en el mosto hay una cierta proporción de estos compuestos (a través de las sustancias albuminoideas, aminoácidos y derivados amónicos), las levaduras van consumiendo una gran parte del nitrógeno amoniacal, dificultando, a medida que disminuye, su normal proliferación, desarrollo y actividad. Esto se elimina mediante la adición de tartrato puro a dosis de unos diez gramos por hectolitro.

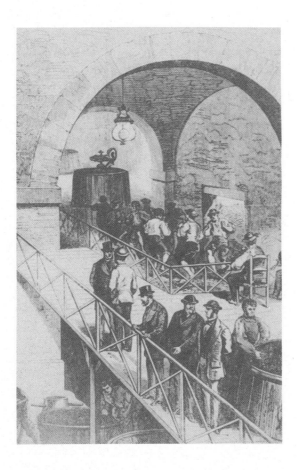

Vista de una bodega en Medoc, 1871

In vino veritas
in vino amabilitas
in vino bonitas
in vino caritas
in vino felicitas
in saecula saeculorum

Amen

# ETAPAS DE LA FERMENTACIÓN

En el transcurso de la fermentación alcohólica hay que distinguir las siguientes seis etapas etapas de reacción:

1. Fosforilización, consiste en la esterificación de los azúcares fermentables en éster del ácido hexosadifosfórico.
2. Escisión de las exosas en dos moléculas de éster del ácido triosafosfórico.
3. Oxidorreducción por formación de éster del ácido glicerofosfórico y de éster del ácido fosfoglicérico.
4. Desfosforilización, al quedar libre el ácido fosfórico bajo la acción de la enzima enolasa, formando el ácido prúvico.
5. Descarboxilación, durante la cual se descompone el ácido prúvico dejando en libertad dióxido de carbono y formándose acetaldehído.
6. Reducción del acetaldehído a alcohol etílico.

Finalizando el proceso de fermentación alcohólica, las levaduras suprimen todas sus actividades. En esta fase de reposo están mejor alimentadas que en las demás etapas de su vida, disponiendo de grandes reservas de materias, como glucógeno, proteínas y grasas que han ido almacenando. El contenido de nitrógeno en las levaduras asciende, durante esta etapa de reposo, del 3 al 11% y el de materias grasas entre 2 y 7% del peso exacto. El contenido de agua en las células es aproximadamente de 70 a 75%, pero cuando por medio de un cuidadoso proceso de deshidratación el contenido acuoso se reduce al 10% de solución glucosa, se observa que las células de levaduras pueden conservarse vivas durante muchos años. De esta forma se ha conseguido su conservación durante diecisiete años.

Monjes que
preparan
champagne

# PLANTEAMIENTO DE LA FERMENTACIÓN PARA DIVERSOS TIPOS DE VINOS

Las condiciones de fermentación conjugadas con la clase de uva y los diversos sistemas de elaboración dan los siguientes tipos genéricos:

| Tipos según las condiciones de fermentación | | |
|---|---|---|
| sin hollejo | uva blanca | vino blanco |
| | uva tinta con pulpa blanca | vino blanco o rosado |
| | uva tinta con pulpa tintorera | vino clarete o tinto |
| con hollejo | uva blanca | vino blanco |
| | uva tinta con pulpa blanca | vino clarete o tinto |
| | uva tinta con pulpa tintorera | vino tinto |
| con doble pasta | uva blanca | vino blanco dorado |
| | uva tinta con pulpa blanca | vino tinto |
| | uva tinta con pulpa tintorera | vino muy tinto |

En realidad, esta elemental clasificación no es rígida, toda vez que pueden entrar en los procesos de elaboración y transformación mezclas de uvas de distinto color o de colores intermedios, como son las doradas o rosadas, lo cual hace variar sensiblemente el color definitivo.

*Las alegres comadres de Windsor*. Acto III, escena V, *The Illustrated Shakespeare*

## PROCESO DE ELABORACIÓN

En la vinificación inmediata, los procesos varían sensiblemente en los aspectos de sus distintas fases y según las condiciones de fermentación. Se clasifican en dos típicos sistemas, cuya terminología es más aceptable por sus denominaciones genéricas que por la exactitud de sus acepciones:

1. Vinificación en blanco, normal en los vinos blancos y también en algunos tipos de rosados.
2. Vinificación en tinto, corriente como procedimiento clásico, en los vinos tintos y también en la mayoría de los claretes.

En los procesos de elaboración de la uva suelen seguirse procedimientos diferentes. Mientras en la vinificación en blanco se procede a separar el mosto de la pasta, mediante escurrido y prensado, en la vinificación en tinto la pasta fresca pasará directamente de la estrujadora a la fermentación. Naturalmente, estos sistemas son hasta cierto punto convencionales, ya que puede vinificarse en blanco con pastas frescas directamente, sin escurrido ni prensado, como, inversamente, vinificar en tinto separando mostos de uvas con pulpa tintorera, antes de su fermentación. Pero estas excepciones son muy limitadas; en el primer caso no favorecen las cualidades de los elaborados en blanco, y en el segundo se obtienen unas tonalidades de color muy escaso para que los elaborados en tinto merezcan propiamente tal clasificación.

Ángeles que
pisan uvas

# EL DESCUBE

Es la operación que consiste en separar el mosto-vino, o el mismo vino de la pasta fermentada o brisa, después de su primera etapa de fermentación. En estas condiciones, el contacto entre el mosto y el hollejo habrá sido suficiente para que los cambios osmóticos se hayan realizado en forma óptima, obteniendo un elaborado perfecto en cuanto a su conservación ulterior y cualidades positivas. En los encubados prolongados, de una o varias semanas, se obtienen vinos espesos, duros y a veces astringentes, escasamente apreciados por los consumidores. Con encubados reducidos que no superen los dos días se obtienen, con la vinificación por procedimiento clásico, vinos aparentemente "aguados" o incompletos, al ser su relación alcohol/extracto, superior a 4.5.

Normalmente el encubado, en la vinificación tradicional, no debe ser inferior a tres días para vinos procedentes de uvas tintoreras con suficiente grado B$e$ y elevado contenido de sólidos solubles. Como medida general puede fijarse una duración del encubado de cuatro a cinco días, aunque la variedad de uva tenga una elevada proporción de raspón herbáceo.

*Fuente del Arrumbador*. Los Reyes, Estado de México

## TÉCNICAS APLICADAS A LA FASE DE FERMENTACIÓN

Con la fermentación alcohólica se inicia el proceso de transformación que en determinados vinos alcanza su influencia hasta la misma crianza o su mejoramiento para elaborados selectos. La mención de estas técnicas no es exhaustiva y menos preferente en todos los casos, pero sí beneficiosa siempre y cuando su aplicación esté de acuerdo con las condiciones de fermentación y los tipos de vinos que se elaboran:

1. Refrigeración de los mostos para una fermentación más ordenada, menos tumultuosa, evitando pérdidas de alcohol.
2. Siembra de levaduras activas, seleccionadas para conseguir un mayor desdoblamiento de los azúcares y/o un selecto *bouquet* propio de las levaduras tipo específicas de cada región.
3. Inyección de aire al mosto durante la fermentación (aerobazuqueo) en cortos periodos, en ocasiones no más de tres minutos, una o varias veces al día, según las funciones mecánicas, químicas o biológicas que se pretendan.

Vaciado de uvas
a la prensa

4. Tratamiento térmico aplicado a las pastas o al mosto en volúmenes parciales antes de entrar en fermentación, según diferentes dispositivos mecánicos: termovinificación, termomaceración, termodifusión, y con ciertas variantes en sus procedimientos, para la obtención de vinos más aromáticos y de color más intenso y brillante.
5. Fermentación continua (vinificadores continuos), añadiendo durante la fermentación mosto fresco en la misma proporción del mosto-vino sangrado que pasa a completar su vinificación en tinas aparte.
6. Fermentación en depósitos cerrados o de doble cámara, para la captación de aromas.
7. Fermentación con maceración de uva estrujada o entera en atmósfera de anhídrido carbónico.
8. Captación del anhídrido carbónico durante la fermentación.
9. Fermentaciones en vinificación diferida, partiendo de mostos conservados.

Estas técnicas presentan variantes muy complejas por su combinación entre sí, caracterizando algunos de los métodos enotécnicos encaminados a la obtención y tipificación de vinos para atender las exigencias de comercialización, la demanda del mercado y los hábitos de consumo.

Tanques de recepción de mosto

## REFRIGERACIÓN DE LOS MOSTOS EN LA VINIFICACIÓN

La trascendencia de controlar la temperatura de fermentación tiene una primordial importancia para regular esta fase, condicionar el desarrollo de la transformación del mosto de vino, obteniendo un mayor grado alcohólico y una mejor calidad de los vinos.

Al referirnos a las condiciones físicas de la fermentación alcohólica, ha sido evidenciada la importancia del factor térmico en cuanto a la vida y actividades de las levaduras, así como en el resultado final de los vinos.

Según Paliakov, desde el punto de vista de la composición química, la fermentación rápida en caliente es inferior a la que se forma en temperatura baja. Los caracteres organolépticos de los vinos de mesa blancos, procedentes de una fermentación a baja temperatura, son mejores, conservando el aroma de la uva y resultan más finos y frescos. Las bajas temperaturas, según el criterio de Paul, a más de aumentar un grado alcohólico, disminuyen, en parte, el contenido en glicerol; sin embargo, el *bouquet* de fruta se conserva mejor. El profesor Catarelli señala que la temperatura más indicada para la fermentación de los vinos de mesa sería aquel "valor mínimo" en el cual la fermentación se desarrollará sin interrupción. Pero en la práctica se considera, generalmente, que una temperatura de fermentación que no exceda los 30°C es satisfactoria, tanto por la dosis de productos secundarios como por el rendimiento alcohólico y velocidad de fermentación.

En cuanto a la vinificación en tinto, pueden admitirse valores óptimos entre 24 y 30°C en fermentación. Como veremos después, estas temperaturas pueden ser superadas al aplicar el factor térmico a una parte de la pasta (termovinificación), siempre antes de la fermentación, con el objeto principal de obtener más color. No deben admitirse métodos o procedimientos, cualesquiera que sean sus objetivos, cuya consecuencia responda a aumentar por encima de los 30°C la masa en fermentación.

## TERMOVINIFICACIÓN

Se conoce por termovinificación el método de vinificación con tratamiento térmico aplicado a la pasta y al mosto en volúmenes parciales o partes alícuotas constantes, antes de entrar en fermentación, para la obtención de vinos más aromáticos, de color más intenso y brillante. Su utilidad radica, exclusivamente, en la elaboración de vinos rosados, claretes y tintos, con preferencia a estos últimos. Este método ecnotécnico se conoce también con los nombres de termomaceración y termodifusión, según los distintos dispositivos mecánicos y la procedencia de la patente industrial en cada caso.

La termovinificación consiste en un método de vinificación que, a través de las partes sólidas del hollejo, en presencia de una exigua cantidad de mosto, logra extraer en justa medida las materias colorantes y otros componentes que el técnico desea para producir un vino ideal.

Verificación de
grados Brix

El contacto entre hollejo y mosto se reduce a pocos minutos, el tiempo estrictamente necesario para obtener, merced al calor y al anhídrido sulfuroso, las materias extractivas, incluidas las sustancias colorantes. La brevedad del contacto hollejo-mosto garantiza un contenido muy bajo en alcohol metílico. Incluso en las añadas de uvas averiadas, en que la carga microbiana se encuentra en los hollejos de los granos lesionados, se obtienen vinos sanos exentos de los peligros de oxidásis y de gustos negativos. Una línea para termovinificación, es bastante más completa que las comunes para vinificación.

# ACABADO DE LOS VINOS

## ETAPA FINAL

Transcurrida la primera fermentación del mosto en vino, éste pasa a completar el proceso a través de sucesivas evoluciones, en cierto modo espontáneas, pero en las que cabe influir directamente para acelerar su desarrollo o perfeccionar sus efectos. Esta etapa final comprende:

- Fermentación lenta o secundaria
- Sedimentación. Primer trasiego: noviembre-diciembre
- Fermentación maloláctica
- Clarificación. Segundo trasiego: marzo-abril
- Estabilización
- Segunda clarificación. Tercer trasiego: agosto-septiembre, para vinos de crianza
- Conservación fija

En la práctica no siempre existe este orden rígido de la evolución final del vino, de tal manera que en ocasiones la fermentación meloláctica llega a confundirse con la fermentación lenta, y en otros casos no llega a producirse o se produce al cabo de mucho tiempo, en el supuesto de que el elaborado no haya sido expedido antes para su consumo.

Igualmente, la clarificación puede retardarse por elaboraciones incorrectas, y en particular por efectos de una primera fermentación muy tumultuosa, con reducido periodo de transformación real y en condiciones adversas de temperatura elevada, o bien un prolongado encubado en la vinificación con maceración.

## FERMENTACIÓN LENTA O SECUNDARIA

La primera fermentación tumultosa va seguida de una fermentación lenta o secundaria, cuya duración es de dos o tres semanas, y normalmente en duración inversa a la que haya tenido la primera. Durante esta segunda fermentación el vino se perfecciona en sus cualidades; los azúcares terminan su desdoblamiento, con el consecuente aumento en el contenido alcohólico, y los componentes tienden a una inicial estabilización que todavía tardará algún tiempo en quedar fija.

Cuando por no haber hecho un buen desfangado de los mostos, el vino ha depositado muchas heces durante la primera fermentación, es preferible trasegarlo para que pase a completar su ciclo en condiciones mejores. Si el mosto fue desfangado debidamente, conviene que el vino continúe su fermentación lenta, sin trasiego, hasta que éste haya cesado. En el transcurso de esta fermentación complementaria han de observarse los vinos por si requieren correcciones o tratamientos que mejoren su acabado.

Los vinos blancos son exigentes en estas prácticas finales. Por lo general permanecen turbios, inconveniente que se remedia adicionando al final de esta fermentación ácido cítrico a dosis entre 25 y 50 gramos por hectolitro. Asimismo, a estos vinos les falta tanino o su contenido es muy relativo comparado con las proporciones de otros componentes, circunstancia que hace su clarificación difícil. Este defecto puede subsanarse añadiendo de diez a quince gramos de tanino por hectolitro.

Ambos productos deben adicionarse siempre al finalizar totalmente la fermentación, ya que los fermentos, ávidos del ácido cítrico lo consumen rápidamente, por lo que cabe esperar a que las levaduras hayan cesado en su actividad. En cuanto al tanino, si se añade antes o durante la fermentación, se insolubiliza al fijarse a las células de las levaduras.

## SEDIMENTACIÓN. PRIMER TRASIEGO: NOVIEMBRE-DICIEMBRE

La sedimentación es el resultado de las precipitaciones producidas por la primera fermentación, incrementadas por los efectos de la fermentación final. Estas precipitaciones consisten, de diversas proporciones, aproximadamente del 0.4% de cremor y 0.6% de sustancias de levaduras y fermentos que, unidas a otros residuos sólidos y orgánicos densos, forman con el líquido las llamadas heces finas en la capa inferior de la tina, con 2.3% del vino total, y las heces gruesas adheridas al fondo, en un 1.7%, siendo estas equivalencias aproximadas.

En realidad, estos porcentajes varían bastante, aumentando en vinos elaborados con maceración, en los procedentes de prensa y en todos aquellos cuyo fruto haya sido defectuoso o sufrido dilaceraciones, cualquiera que sea el procedimiento de vinificación.

El vino reciente necesita ser trasegado. El hecho de dejar el vino sobre las heces durante más tiempo del estrictamente indicado no presenta ventaja alguna, sino que por el contrario, puede provocar alteraciones nocivas en lo que respecta al olor y al sabor. Las levaduras son organismos vivos que acaban descomponiéndose una vez terminada su actividad, por lo que es conveniente extraerlos a su debido tiempo.

El momento de realizar el trasiego está sujeto a diversos factores: la forma en que se ha realizado la fermentación, las condiciones que presentaba el mosto en su mayor o menor grado de desfangado, la clase o el tipo de vino y el destino final que quiera dársele.

Los vinos de acidez baja deben ser trasegados pocas semanas después de la fermentación principal, para separarlos de las heces y conservar su acidez, siendo buena época desde mediados de noviembre hasta finales de diciembre, según las fechas de vendimia. Los vinos ácidos pueden reposar sobre las heces desde finales de diciembre hasta principio del año siguiente, con lo que se fomenta la eliminación de ácidos.

Hay que destacar que el vino no adquiere aroma ni sabor de mejor calidad por el mero hecho de permanecer más tiempo en contacto con las heces. Los vinos con elevado grado alcohólico cuya condición impide que las heces se desintegren, no impiden ser trasegados en las mismas fechas que los otros. Conviene efectuar los trasiegos cuando el termómetro está bajo y el barómetro está alto, ya que a menor temperatura del vino y a mayor presión atmosférica, el ácido carbónico disuelto tiene menos tendencia a desprenderse del vino, arrastrando consigo partículas de heces, al mismo tiempo que los posibles fermentos patógenos ambientales a temperaturas bajas son menos propensos a desarrollarse.

## FERMENTACIÓN MALOLÁCTICA

Emile Peynaud considera la fermentación maloláctica como un fenómeno evolutivo de muchos vinos del mundo, que se confunde normalmente con la fermentación alcohólica secundaria. En el vino que desarrolla esta fermentación se producen notables cambios:

1. Una mejora gustativa, al suavizarse el vino.
2. Una pérdida de aroma afrutado.
3. Una disminución de acidez, superior a la causada por la precipitación de los bitartatos.
4. Un aumento de acidez volátil del orden de 0.1 a 0.2 gramos por ataque del ácido cítrico y de las pentosas.
5. Un aumento de ácido láctico.
6. Una disminución de ácido málico, claramente perceptible por análisis de cromatografía de ácidos.
7. Una transformación de ácidos en la siguiente forma: un gramo de ácido málico tiende a producir 0.67 g de ácido láctico y 0.33 de anhídrido carbónico, equivalente a 165 cc.

Los agentes causantes de la fermentación maloláctica son unas bacterias propias de las uvas y que se encuentran en la pruina. No se distinguen totalmente las bacterias de la fermentación maloláctica de otras bacterias que pueden existir en el vino, nocivas y causantes de enfermedades, aunque a PH elevado todas las bacterias son nocivas al vino y, en cierto modo, no hay bacterias completamente inofensivas. En un vino puede haber más cantidad de bacterias nocivas que de bacterias de fermentación maloláctica, siendo las más peligrosas aquellas que atacan el ácido tartárico y el glicerol.

Llenado de
barricas, con vino ▶

## PREPARACIÓN PARA LA FERMENTACIÓN MALOLÁCTICA

Aunque esta fermentación suele ser espontánea en determinados vinos, actualmente pueden prepararse la transformación maloláctica mediante una cepa seleccionada e idónea para tal fin, procurando que el elaborado reúna las condiciones ambientales más favorables para el desarrollo biológico.

Pueden emplearse heces de vinos debidamente experimentados, que han cumplido la fermentación maloláctica en buenas condiciones o cultivos puros, seleccionados entre aquellos géneros que mejor se presten a las características y componentes del elaborado.

La preparación se realiza con siembra por pie de cuba o con inoculación directa al vino seco, siendo mejor este último procedimiento. También parece ser ventajoso, cuando es factible, la inoculación anticipada al mosto, ya que así no hay alcohol, y en cambio existe una buena reserva de elementos nutrientes. Otra ventaja está en que el metabolismo de las levaduras elimina la presencia circunstancial de sulfuro libre. Sin embargo, también el sulfuroso combinado perjudica el desarrollo de las bacterias lácteas, posiblemente al metabolizar el aldehído combinado, dejando sulfuroso libre.

## CLARIFICACIÓN. SEGUNDO TRASIEGO: MARZO-ABRIL

Después de que un vino ha experimentado la fermentación maloláctica, entra en la fase de su total clarificación, que será rápida o prolongada en función de causas muy diversas que se citarán oportunamente.

La mayoría de los vinos pasan por una fermentación maloláctica; por no haber alcanzado las condiciones ambientales favorables a esta evolución. Estos últimos son los elaborados que requieren una transformación maloláctica cuanto antes, o bien su estabilización definitiva, evitando que aquella se produzca tarde y en condiciones impuras que desmerezcan su calidad, sobre todo si ya han sido embotellados, lo que supone un contratiempo grave capaz de comprometer y alterar su aroma y sabor.

El vino es un producto de origen biológico y como tal, en parte es una solución verdadera, y en otra parte una solución coloidal en sistema disperso, o dispersión. Un enturbiamiento débil se considera un síntoma de alteración y aunque el vino conserve íntegras sus cualidades gustativas, la presencia de turbiedades predispone a no apreciarlo. Esta es una de las causas que obliga a presentar los vinos trasparentes, brillantes, sobre todo los blancos, que el consumidor exige que sean cristalinos.

Los vinos sanos y puros elaborados debidamente se aclaran por sí mismos durante su maduración, y por ello no es necesario recurrir a una clarificación por tratamientos fisicoquímicos, como tampoco a operaciones de centrifugación y de

Cerrado de los tubos de
abastecimiento de los tanques
de recepción

filtrado. En otros casos, la clarificación espontánea de los vinos resulta lenta, circunstancia que aconseja intervenir directamente, en particular cuando interesa adelantar la salida del producto para el consumo.

Las circunstancias económicas obligan a poner en circulación vinos recientes que al embotellarlos pueden dar origen a un enturbiamiento proteico que afea la presentación final. No basta presentar un vino limpio, sino que esta limpieza deberá permanecer con los días al recibir el sol, el calor y el frío. Las turbiedades en vinos recientes, con sus precipitados amorfos, resultan irremediables cuando se producen una vez embotellados. Por ello, en la tecnología actual la clarificación ha pasado a ser una práctica más, como una de las fases industriales más importantes en la comercialización de los vinos elaborados hasta conseguir su estabilización. En consecuencia, se distinguen dos formas de clarificación:

1. Clarificación espontánea en un cierto espacio de tiempo, durante el cual el vino permanece fijo en las mismas tinas o depósitos de bodega hasta su segundo trasiego, que se realiza en marzo o abril.
2. Clarificación influida con tratamientos fisicoquímicos que a su vez dan una estabilidad a la solución-dispersión del vino elaborado, con efecto similar al que hubiera obtenido a lo largo del tiempo.

Estos tratamientos se dividen en dos clases de procedimientos:

1. Por adición directa de productos inocuos que produzcan la separación o sedimentación de las sustancias enturbiadoras.
2. Por acción mecánica, supeditando al vino a centrifugación y/o a operaciones de desbastado, filtración y abrillantado.

## SUSTANCIAS ENTURBIADORAS

Entre las sustancias que producen enturbiamientos de tipo orgánico, las proteínas son las más abundantes. Existe una proteína soluble que suele ser abundante en las uvas maduras y cuyo porcentaje va aumentando con la madurez. Se encuentra en dosis muy variables, siendo más abundante en las uvas averiadas y en las que provienen de híbridos.

El exceso de proteínas en el vino puede derivar de un elevado contenido de sustancias nitrogenadas en las uvas; también puede ser el resultado de una mala vinificación, de sedimentaciones no apropiadas o incompletas, de una prolongada permanencia del vino sobre las heces, etc.

Las proteínas solubles están integradas por diversos aminoácidos, siendo los más abundantes: ácido aspártico, ácido glutámico, alanina, fenilalanina, isoleucina, leucina, serina, tirosina, treonina y otros, que van ligados a una fracción azucarada y a pectinas solubles. En el estudio de las proteínas solubles se observa que cada una posee su punto isoeléctrico determinado, por lo que tiene su resistencia, carga eléctrica y grado de precipitación en relación con el PH del vino. Esto explica porqué al mezclar dos vinos claros, filtrados y perfectamente limpios, puede aparecer una turbiedad o precipitación, máxime teniendo en cuenta que la filtración no hace variar el contenido de materias albuminoideas en el vino. La precipitación de las proteínas, además de estar influida por la cantidad de alcohol, depende también del contenido en materias minerales, las cuales favorecen la coagulación de los compuestos albuminoideos.

Igualmente, el contenido ácido del vino, debido a su acción coagulante sobre las sustancias albuminoideas, pécticas, mucílagos, etc., facilita y acelera la depuración y abrillantamiento de él, dándole la debida estabilidad.

Las proteínas favorecen el desarrollo de enfermedades bacterianas. Un exceso de proteínas y pectinas hacen un efecto como de coloide protector, anulando o dificultando el resultado de los tratamientos físicos, por lo que deben eliminarse previamente, mediante la adición de productos inocuos antes de realizar otras operaciones.

Copa con vino blanco

Otra anomalía debida a las sustancias albuminoideas es el enturbiamiento cuproso. Exponiendo a la luz del sol las botellas que contienen residuos de cobre, se enturbian y adquieren mal aspecto. Para que ello aparezca es necesaria la presencia de compuestos albuminoideos, por lo que eliminando los mismos se evita el riesgo.

Estos compuestos son causa del enturbiamiento directo, del cuproso, de enfermedades bacterianas y de anular o dificultar los efectos de refrigeración o tratamiento en frío.

En los vinos blancos, unida a la materia colorante, existen pentosas que quedan en suspensión y deben ser eliminadas. En los vinos tintos mal elaborados, que tienen colores violáceos, además de la abundancia de proteínas, hay complejos de proteínas-colorantes que precipita, igualmente, polifenoles susceptibles de flocular y complejos de tanino-colorante o mezclas de tanino-colorante-proteína, formando moléculas muy grandes que tarde o temprano flocularán.

## CLARIFICANTES Y ESTABILIZADORES

Una clarificación consiste en producir artificialmente un fuerte enturbiamiento de naturaleza coloidal que elimine el exceso de algún componente natural contrario a la estabilidad, de tal manera que se produzca un barrido intenso en la unión de coloides de signo contrario. Para ello han sido elegidos determinados productos, unos de origen orgánico y otros de procedencia mineral, de calidad inocua y condiciones neutras, cuya presencia dosificada en el vino mantiene una acción suficiente para bloquear y arrastrar las sustancias enturbiadoras.

## ESTABILIZACIÓN

En el acabado de los vinos se considera la estabilización como la acción y efecto de un tratamiento de clarificación para dar una estabilidad fisicoquímica, más o menos permanente, a los componentes del elaborado, de tal manera que se mantenga un relativo estado de equilibrio que evite la posibilidad de enturbiamiento.

Consideramos la estabilización no como una inmutabilidad permanente del vino, sino considerando su evolución en función del tiempo y hasta cierto límite, durante el cual sus componentes y cualidades no sufren alteraciones sustanciales ni tampoco modificaciones como no sea para adquirir otras condiciones positivas.

Al examinar los medios que la ciencia enológica ha puesto al alcance de los técnicos, destacan los procedimientos que se prestan para librar los vinos recientes de ciertas alteraciones por ataques bacterianos, inestabilidad de la materia colorante y otros componentes, precipitaciones de sales tártricas, etc. Dos de los medios más comunes son:

1. Clarificación por encolado (empleo de caseínas, gelatinas, bentomitas, etc.)
2. Clarificación mecánica (centrifugación, desbastado, filtración y abrillantado).

Llenado de
botellas
efectuado a
mano

*Hay más filosofía dentro de
una botella de vino que en todos
los libros.*

LUIS PASTEUR

# ELABORACIÓN Y CRIANZA DE LOS VINOS BLANCOS

La uva ha llegado a su madurez. Ha culminado la primera etapa del proceso que dará origen al vino. Y ha quedado ya programada de un modo definitivo la calidad del vino que después será elaborado. Si las uvas proceden de cepas o de variedades selectas, si el cultivo ha sido cuidadoso, buscando rendimientos moderados y si la climatología ha sido favorable, puede esperarse el nacimiento de un gran vino.

Por el contrario, si la cepa ha sido de tipo corriente o se ha producido una enorme cantidad de hectolitros por hectárea o incluso si simplemente las lluvias y el buen tiempo no han sabido presentarse en el momento oportuno, la calidad del fruto se hallará en entredicho.

Es esencial comprender desde ahora la diferencia que existe entre la producción artesanal que busca la calidad, y la producción de tipo masivo, en la que se persigue un beneficio económico inmediato, tratando de obtenerse los mayores rendimientos posibles, no sólo en el viñedo sino incluso en las instalaciones industriales.

Normalmente las uvas se recogen cuando han llegado a su perfecta madurez, aunque existen algunas excepciones muy dignas de ser tomadas en cuenta. Nos estamos refiriendo principalmente a los vinos llamados sobremaduros. El más famoso es el vino de Sauternes, originario de la comarca francesa del mismo nombre, situada al sur de Burdeos. Tienen su réplica en determinados vinos de la Mosela y del Rhin, conocidos normalmente como *Beerensuslese* y el más apreciado de todos ellos, el *Trokenbeerenauslese*.

El proceso de sobremaduración se produce por la acción combinada del sol y el viento, que desecan progresivamente el fruto. Así se consigue al mismo tiempo una pérdida de peso y un enriquecimiento relativo del mosto en azúcares naturales.

La acidez se ve también rebajada y el vino finalmente presenta unas características muy especiales.

El factor fundamental que interviene en este proceso y que origina el sabor tan delicado de estos vinos es un hongo conocido con el nombre de *Botrytis cinerea*. El hongo aparece en estas comarcas de modo espontáneo, en los suelos de los viñedos y se deposita en la piel de la uva. Determinadas condiciones que le dan en estas zonas de humedad y calor, acentúan su desarrollo. El hongo procede entonces a la emisión de micelios, los cuales penetran en el interior de las células de la uva, dando lugar a una serie de procesos de transformación.

Los cambios que provoca el *Botrytis*, además del enriquecimiento relativo de azucares, debido a la pérdida de agua, es la disminución de la acidez (sobre todo el ácido tartárico). También existe una formación de glicerina por parte del hongo, de modo que los vinos producidos presentan una suavidad muy acentuada. La pérdida de peso al final de este proceso puede llegar a ser hasta de un 30% de la cosecha, teniendo ésta lugar alrededor de los meses de diciembre o enero. Los granos de uva presentan en el momento de la vendimia un aspecto bastante estropeado, recu-

Uvas blancas
expuestas al sol
para producir
sobremadura-
ción

biertos de moho y resecados. Recuerdan por su apariencia a las pasas o uvas dese-
cadas. Estos vinos tienen a menudo problemas de fermentación y son de elaboración muy difícil.

Conviene aclarar que, en un viñedo normal, la aparición del *Botrytis* acarrea la
podredumbre y deterioro consiguientes de la cosecha. Tan sólo en las zonas cita-
das y en condiciones especiales de humedad y temperatura será deseable la aparición de este tipo de hongo.

# LA ELABORACIÓN DE LOS VINOS BLANCOS DE CALIDAD

Durante siglos, la elaboración de los vinos blancos de calidad ha tenido lugar en pequeños envases de madera, con capacidad que no exceda los 600 litros cada uno. Últimamente han hecho su aparición las tinas de acero inoxidable, que son lo más novedoso en la técnica para el proceso de fermentación. El acero, por su gran asepsia, su gran transmisión de calor y porque nunca comunica gustos extraños en el vino, es considerado hoy en día como recipiente ideal para la fermentación.

Sin embargo, convendría aclarar que estos depósitos son utilizado solamente durante la fermentación y no para la crianza; ésta debe realizarse en barricas de roble. La fermentación suele durar de una a seis semanas según la temperatura y los tipos de vino pero, normalmente cuanto más fría es la temperatura exterior, más lenta es la fermentación al actuar las levaduras con cierta inhibición.

Tanques de acero, para fermentación

Tanque de acero, lleno

Barricas de
roble, para
fermentación del
vino

Heces a madres
del vino

Embotellado
automático

Una vez terminada la fermentación, se procede al trasiego del vino, para separarlo de las heces o madres que contienen las levaduras. Se inicia entonces la fase de crianza del vino, que según los tipos de cepas puede tener lugar en barricas de roble. Algunos vinos blancos no se crían en madera porque se almacenan en depósitos adecuados esperando el tiempo de su embotellamiento. Es decir, algunos vinos blancos sufren el proceso de crianza en roble, pero otros, con el fin de conservar más su frescor y afrutado, se embotellan directamente, al cabo de varios meses para evitar su oxidación y pérdida de aromas.

Un vino blanco que se somete a una crianza de roble excesiva, puede llegar a perder calidad, al oxidarse, lo que daría como resultado pérdida de sus cualidades de vino de mesa, al aparecer un color amarillento y un aroma enranciado. Los vinos blancos se crían en barricas de 12 a 24 meses, como máximo. Posteriormente se someten al proceso de clarificación y filtrado previos al embotellamiento.

*El rey Enrique IV*. Acto I, escena IV, *The Illustrated Shakespeare*

# ELABORACIÓN Y CRIANZA DE LOS VINOS ROSADOS Y TINTOS

Básicamente, los procesos que intervienen en la elaboración de los vinos rosados y tintos, son iguales a los de los vinos blancos. Los mostos tienen casi la misma composición; la fermentación está también a cargo de las levaduras y los productos que se obtienen finalmente no difieren mucho de los obtenidos en el caso de los vinos blancos.

¿Cuáles son las diferencias esenciales entre la elaboración de vinos blancos y tintos? Prácticamente quedan reducidas a dos:

1. Se elimina el palillo durante el prensado de las uvas tintas.
2. Los vinos rosados y tintos, al contrario de los blancos, fermentan en contacto con las pieles de las uvas (hollejos).

Interior de una despalilladora

Eliminación de partes leñosas, despúes del despalillado

Así pues, el palillo o tallo leñoso del racimo, en el caso de los vinos blancos se incorpora al proceso de prensado. Por el contrario, para los vinos rosados y tintos, se eliminan inmediatamente junto con el primer prensado de la uva. Para tal fin se utilizan las máquinas despalilladoras que suelen estar acopladas a la chafadora.

A continuación, una bomba especial impulsa la pasta resultante, es decir, el mosto junto con las pieles y las pepitas, hasta las tintas de fermentación.

Las pieles son indispensables para obtener los vinos rosados y tintos. ¿Cuál es la causa? Sencillamente, los pigmentos naturales que dan color a los vinos, se hallan en las pieles.

En el caso de los vinos blancos, no interesa incorporar tonalidades amarillentas y sí elaborar vinos lo más pálidos posible. En cambio, en el caso de los vinos rosados y tintos, deben captarse estos pigmentos. Su extracción se hará lentamente en el transcurso de la fermentación.

Bomba especial para transportación de mosto y hollejos

Hollejos y heces después de la fermentación tumultuosa

Es un hecho de fácil comprobación, que el color en los vinos tintos se halla en las pieles. Simplemente estrujando entre los dedos la piel de un grano de cualquier uva negra, comprobaremos que se desprende una tinta de color rojo intenso.

Los vinos tintos fermentan a temperaturas superiores a las de los vinos blancos, llegando a los 30°C. La fermentación en los vinos tintos se hace en tinas de gran capacidad, de 4 000 hasta 20 000 l, aunque en el caso de los vinos comunes pueden emplearse tinas de mayor capacidad. Los hollejos flotan sobre el mosto en fermentación, y se les llama entonces "el sombrero". Durante los primeros días de la fermentación, se rocía el sombrero con mosto. A esta práctica se le llama remontado. Los hollejos son posteriormente separados de la masa de fermentación, al haber terminado su misión de ceder su color al vino. Cuanto más tiempo permanezca en contacto con el mosto en fermentación, más será el grado de color que el vino adquirirá. Normalmente, para la obtención de un vino rosado, son necesarias solamente 24 horas.

En la mayoría de las regiones vinícolas, no es necesario efectuar ninguna corrección a los mostos. Sin embargo, en las regiones más frías, como Borgoña o Burdeos, es necesaria la adición de azúcar al mosto para reforzar la graduación de los vinos que se obtienen; esta práctica se conoce normalmente con el nombre de chapitalización, en recuerdo al pionero de la misma, el químico francés Chapital. En Alemania esta práctica se le llama *Verbesserung*, que significa mejora. En España, la mayoría de las regiones producen mosto suficientemente equilibrado y rico en azúcar natural por lo que la chapitalización se hace innecesaria. En algunas regiones muy frías y debido al exceso de acidez del mosto, provocado por la escasez de horas de insolación, es necesario el uso de pequeñas dosis de antiácidos, normalmente carbonato de calcio para desacidificar los vinos.

Barricas

## LA CRIANZA DEL VINO TINTO

Cuando el vino ha terminado la fermentación maloláctica y ha sido convenientemente trasegado y filtrado, está listo para iniciar su periodo de crianza en roble. En algunos casos, los vinos son clarificados mediante gelatina, antes de iniciar su crianza. Otros bodegueros prefieren realizar esta práctica después de la crianza en roble.

El vino tinto se cría en envases de roble, ya sean pequeñas barricas desde 200 litros de capacidad o bien conos o tinas de hasta 100 000 litros, existe una extensa gama de envases según las regiones y las prácticas acostumbradas.

Botas para
crianza de vinos

Barricas para
crianza de vinos

Para los vinos corrientes, puede decirse que no existe la crianza en madera, sino que el vino simplemente es trasegado, estabilizado y almacenado en tanques metálicos o de cemento, en espera de su embotellamiento o comercialización.

Normalmente, cuanto más caro es el vino, más pequeño es el envase de madera de roble en el que se hace la crianza. La mayoría de los bodegueros prefieren robles de procedencia del este de los Estados Unidos o del centro de Francia, especialmente el llamado Limousin.

Durante el proceso de crianza, el vino tinto va afinándose, su color violeta intenso va adquiriendo tonalidades más cercanas al rojo ladrillo y su aroma experimenta una modificación importante: se pierde parte de los aromas del fruto originales de la cepa, e incluso de la fermentación, y se adquieren los aromas más refinados conocidos como aromas de crianza o *bouquet*.

La crianza en roble se prolonga normalmente por espacio de 18 meses hasta cinco años, según los tipos de cepa y las añadas, y según la región o la personalidad que quiera darse el vino. Una crianza de más tiempo suele empobrecer el vino al producirle un añejamiento excesivo.

Tinas para
crianza de vinos

Botellas de vino
que se añeja en
la cava

Durante la crianza, los vinos se van trasegando periódicamente con el fin de eliminar paulatinamente las materias sólidas, que se van precipitando. Así el vino se va afinando, preparándose para su posterior embotellamiento. Antes de éste, tiene lugar la mezcla de los diferentes vinos, que es práctica usual en la mayoría de las bodegas. Suelen mezclarse vinos de diferentes viñedos, diferentes cepas e incluso de diferentes años, para mantener un tipo de vino constante. Algunos bodegueros consideran la mezcla como el punto más importante en la elaboración del vino, escogiendo cuidadosamente las variedades de cepa que deben ser mezcladas y el tiempo en que debe hacerse. Los vinos más viejos normalmente carecen del frescor y el afrutado de los vinos jóvenes; por otro lado, los vinos jóvenes carecen de la complejidad y el carácter de los vinos maduros. El añadir una pequeña cantidad de vino joven a uno maduro, proporciona a menudo frescor y afrutado sin pérdida de la complejidad de carácter y otras cualidades del vino maduro.

Barricas con
vino que se
añeja en la cava

# LA CRIANZA EN BOTELLA DE
# LOS VINOS ROSADOS Y TINTOS

Al contrario de los vinos tintos, los rosados no suelen envejecer en madera de roble. Se embotellan cuando todavía son jóvenes y afrutados, normalmente en el transcurso del año que sigue a la cosecha.

¿El vino mejora en la botella? En la mayoría de los casos, pero existe a veces una tendencia a creer que, ya embotellado el vino, deja de envejecer. Quizá existió y existe todavía una confusión con los brandis y licores que no envejecen una vez que han sido embotellados. Pero mientras que una botella de brandy de diez años significa que el brandy permaneció diez años envejeciendo en madera, y será siempre un brandy de diez años, una botella de vino puede llegar a ser una botella de veinte, treinta o más años con el transcurso del tiempo. Y las diferencias entre la misma botella al año de su embotellamiento o veinte años después, son enormes.

No todos los vinos mejoran a medida que envejecen. De hecho ningún vino mejora indefinidamente. Cada uno alcanza su máximo grado de perfección (y esto debe entenderse desde un punto de vista subjetivo) a una cierta edad, dependiendo de la cepa que le sirvió de base, de cómo fue elaborado, etc.

Los vinos blancos, en general, alcanzan su punto máximo un poco después de los tres años de su elaboración. Los tintos requieren de mayor tiempo, normalmente quince años o más.

En líneas generales puede decirse que son muy raros los vinos que llegan a sobrepasar los cincuenta años de edad en buenas condiciones. Todos los vinos, a la larga, llegan a avinagrarse y algunos vendidos hoy en día en famosas subastas de más de cien años de edad, son piezas de museo, más que otra cosa. Normalmente el problema no es que los vinos se conservan demasiado tiempo, sino que se beben demasiado rápido. Para prevenir esto, algunos bodegueros almacenan sus vinos embotellados por varios años en sus propios almacenes, antes de incorporarlos a los circuitos comerciales.

Conviene comprar los vinos blancos y rosados lo más jóvenes posible y los vinos tintos a partir de los tres o cuatro años de su elaboración. En ningún caso debe creerse en menciones de las etiquetas tales como cosecha 1902, que además de resultar inciertas, ya con seguridad el vino estaría decrépito, aunque suele pasar en las grandes marcas, que el vino está bueno todavía.

La selección de vinos adecuados es materia extensa; sin embargo y puesto que nos hemos estado refiriendo al color de los vinos, digamos también como regla que cuanto más color tiene el vino, cuanto más intensa es su tonalidad, más tiempo podrá conservarse. Esto significa por tanto que los rosados deben consumirse rápidamente, como máximo a los seis meses o al año de su elaboración, los tintos ligeros en un plazo de cinco a diez años y solamente vinos tintos de gran riqueza colorante, podrán conservarse por más tiempo.

La inmensa mayoría de los vinos tintos son siempre totalmente secos, pero existen excepciones, como por ejemplo los vinos Priorato en España, que en determinados años, debido a su enorme riqueza en azúcares naturales, llegan a

Colocación de las botellas dentro de una cava

conservar parte de ésta, incluso hasta el final de la fermentación. Son vinos quiza más adecuados como aperitivo o como postre que para acompañar los alimentos. Determinados vinos tintos se endulzan por mezcla de mistelas siendo estas el producto resultante de la mezcla de mosto de uva con alcohol, que impide su fermentación. Estos vinos entran en la categoría de vinos de postre, aunque también son adecuados para la preparación de la sangría.

Los vinos tintos son los pilares fundamentales de la enología. Si los blancos hacen las delicias del degustador por su elegancia y su fineza, los tintos aportan una infinita gama de tonalidades y sabores dependiendo de su origen, cepa y añada. El vino tinto es por otra parte, y desde el punto de vista fisiológico, el más recomendable para el consumo cotidiano y es generalmente también el de mayor consumo a través del mundo.

Degustación del vino

*Otelo: el brindis.*
*The Illustrated*
*Shakespeare*

El vino es un Dios cuyos favores
no debemos restringir.

MONTAIGNE

# 4. La composición del vino

## ELEMENTOS CONSTITUTIVOS DEL VINO

El vino contiene una gran cantidad de elementos, en su mayoría conocidos y bien identificados, aunque existen componentes cuyo origen y naturaleza exacta no han sido determinados con precisión. Además, debe hacerse notar que algunos elementos son constantes en el vino, mientras que la presencia de otros no lo son, o se encuentran solamente en determinados tipos de vinos o procedencias particulares. No es nuestra intención mencionar todos los elementos que entran en la composición del vino pues su número pasa de cientos, lo que nos puede dar una ligera idea de lo complejo de su constitución; sin embargo, trataremos de englobar a la mayoría de ellos o los más representativos.

La mayoría de estos elementos se encuentran en solución, aunque algunos pueden presentarse en suspensión, otros en estado de precipitación y sedimento, y otros como los gases, en estado de difusión. A primera vista pareciera que este conocimiento interesa solamente al "alquimista" de la empresa, al quimicobiólogo especializado en la enología; sin embargo, al amante del vino le puede interesar por varias razones: aumenta su cultura vinícola en primer lugar, y el conocimiento de las sustancias que entran en la composición del vino, lo coloca en mejor posición de identificarlas por los sentidos, así como de adivinar su origen y procedencia, así como conocer si tal o cual elemento resulta positivo o dañino al vino.

El enólogo tiene que ir mucho más lejos aun, pues no sólo es responsable del producto, sino que deberá estar preparado para poder llenar los requerimientos legales, así como detectar posibles fraudes en el vino. Para ello se vale de sofistica-

Prueba de olor

Prueba de sabor

dos métodos y aparatos de investigación como la cromatografía, la espectrofoto-metría electrónica, la destilación fraccionada, etc., así como de profundos conocimientos de química y bioquímica que no podríamos siquiera mencionar.

*Las alegres comadres de Windsor.* Acto I, *The Illustrated Shakespeare*

# CONSTITUYENTES

## AGUA

Es el elemento más abundante del vino y proviene totalmente de la uva. Su concentración varía de 800 a 950 ml. El agregado artificial de agua al vino, en pequeñas cantidades, es difícil de detectar; pero en mayores cantidades se puede descubrir, si no por el agua presente, sí considerando el desequilibrio que introduce en el total.

El agua contiene en solución gran número de sustancias minerales orgánicas y mixtas; la mayoría proviene de la uva madura y algunas de las levaduras, transformadas en su gran mayoría por la acción de la fermentación.

Don Quijote, invadido por sus sueños, arremete contra las botas de vino. *Dore's Illustrations for "Don Quixote"*

## ALCOHOLES

Existe una gran variedad de ellos, pero desde luego, el más importante es el etanol o alcohol etílico, producto de la fermentación del azúcar natural de la uva la cual, bajo la acción de las levaduras, se convierte en partes aproximadamente iguales de alcohol y bióxido de carbono. El alcohol ya es detectable por el olfato y el gusto; es agradable al paladar, pero nunca debe dominar al sabor del vino, sino mezclarse y mantener perfecto equilibrio con los otros elementos. Se mide usualmente en grados Gay Lussac, que corresponden a volumen por ciento, o sea que si un vino indica contener 12° G.L., quiere decir que en 100 volúmenes de vino, 12 son de alcohol.

Su proporción en el vino usualmente varía de los 8° a los 14° G.L., aunque en ocasiones alcanza su grado máximo de concentración natural que es de 15° G.L. Consecuentemente, un vino que contiene más de 15° G.L. de alcohol, es un vino que generalmente ha sido fortificado de alguna manera con alcohol extra.

Otro de los alcoholes importantes en la composición del vino es la glicerina o glicerol, responsable de la tersura y untuosidad del vino, a la vez que contribuye a la

Visualización de las "piernas" o "sábanas" de un vino blanco

dulzura del mismo. Por la vista podemos apreciar, al mover el vino sobre las paredes de la copa, las llamadas "piernas" o "sábanas" correspondiendo a la adherencia de su contenido en glicerina principalmente.

La glicerina se materializa durante la fermentación alcohólica y normalmente se encuentra en el vino en una proporción de 6 a 8 mg por litro, aunque algunos vinos blancos licorosos como el Sauternes pueden contener hasta 20 mg. Merece mencionarse que la glicerina en proceso de reducción puede producir acroleína, que amarga los vinos.

Existen en el vino otros alcoholes como el metílico, propílico, el isobutanol, el exanol y el heptanol entre los llamados alcoholes primarios; pero existen otros polialcoholes que alargan el número de los mismos y que no encajan en la intención de esta obra. De cualquier manera, su proporción es muy pequeña en el vino, calculándose que por cada diez kg de alcohol etílico existirán de ochenta a cien gramos de todos los otros alcoholes.

*Brindis. The
Illustrator's
Handbook*

## AZÚCARES

Los azúcares son glúcidos que pertenecen al grupo químico de los hidratos de carbono. Existen varios de ellos en el vino, pero los más importantes son la fructuosa o levulosa y la glucosa o dextrosa. Existen también en pequeñas cantidades la galactosa, arabinosa, ribosa, xilosa y ramnosa. Debemos también mencionar unos derivados de los azúcares que pueden existir en el vino y que reciben el nombre colectivo de "gomas".

Cuando existen pocos azúcares en el vino, éste posee un sabor seco y áspero. Son suficientes 3 a 4 gramos por litro para que un vino presente cierta suavidad en el sabor. La fructuosa, sobre todo, es la responsable de este efecto ya que su poder dulcificante es más fuerte que el de la sacarosa y que el de la glucosa. Aquellos vinos en los que la cantidad de azúcares excede de ciertos límites son los llamados semisecos, semidulces, dulces y estilo Sauternes.

*Soldados en una taberna. The Illustrator's Handbook*

## ÁCIDOS

Los ácidos orgánicos, siempre presentes en las frutas, son muy abundantes en los vinos. El más importante es el ácido tartárico, cuya concentración normal es de dos a cinco gramos por litro. Si es muy abundante comunica al vino dureza, pero su carencia malogra por completo al vino.

Otros ácidos importantes son el succínico y el acético, siempre presentes en el vino; el málico, muy importante en el vino nuevo, pero que se transforma en láctico, y el ácido cítrico que desaparece lentamente.

Es importante señalar que el ácido acético es el más importante de los llamados volátiles, o sea, aquellos que pueden separarse del vino por destilación. La cantidad de ácidos volátiles normalmente se encuentra entre 0.3 y 0.4 gramos por litro; a medida que aumenta su concentración, el vino adquiere un sabor que va del picante al francamente agrio o avinagrado.

El rey Enrique IV. Acto V, escena III, *The Illustrated Shakespeare*

*Otelo: copas y vino. The Illustrated Shakespeare*

## ALDEHÍDOS

En el vino existen escasísimas cantidades de un aldehído llamado aldehído acético o etanal el cual, uniéndose al alcohol etílico, da un líquido muy ligero, muy volátil, de olor agradable, llamado acetal y que contribuye en parte a la producción de aromas del vino. Otro aldehído que se encuentra en pequeñísimas cantidades es el fusfurol, otra sustancia aromática.

## TANINOS Y MATERIAS COLORANTES

Son sustancias complejas, de naturaleza parecida, que pertenecen al grupo de los flavonoides, pero que desempeñan distintos papeles en el vino.

El tanino es un material orgánico que proviene de las semillas de la uva, la piel y los palillos, pero que también procede en ocasiones de las barricas jóvenes de roble. Su cantidad varía según la uva de la cual proviene el vino y el método de vinificación. El vino rojo contiene mucho más tanino que el blanco, especialmente cuando ha tenido una larga fermentación. El vino joven contiene más tanino en solución, mientras que en el viejo abunda en los precipitados del sedimento. La presencia del tanino es indispensable en el vino, ya que contribuye a la salud del mismo y a su claridad, así como en parte, a darle consistencia al vino, aunque cuando se encuentra en exceso puede proporcionarle una astringencia que puede ser desagradable a la lengua o comunicar un sabor amargo al vino.

Las materias colorantes del vino se originan principalmente en los taninos de la piel de la uva. Son pigmentos insolubles en agua fría, pero se disuelven bien en el alcohol. Por esta razón, mientras más larga es la fermentación, el color es más pronunciado, ya que el pigmento lentamente se va disolviendo en alcohol formado en el proceso de fermentación.

Además de dar color al vino, los pigmentos también contribuyen al afrutado del aroma en los vinos jóvenes y al *bouquet* de los viejos. Tardíamente la materia colorante se torna insoluble cuando se oxida, lo cual explica en parte el color café de los depósitos que se encuentran en el fondo de las botellas viejas. Aunque la materia colorante no parece existir en los vinos blancos, la realidad es lo contrario, y se hace evidente en los vinos que se maderizan, los cuales toman un color amarillento.

*Don Quijote en un mesón. Dore's Illustrations for "Don Quixote"*

**129**

## ÉSTERES

Los ésteres son el resultado de la combinación de los ácidos con los alcoholes y pueden formarse por acción enzimática directa durante la fermentación; pueden estar presentes en el material original crudo (mosto) y pueden resultar de las reacciones de esterificación de hidrogeniones durante el envejecimiento.

Existe una esterificación rápida y los ésteres así formados son muy abundantes y volátiles. Existe una esterificación lenta que puede durar más de 50 años y que produce ésteres ácidos no volátiles. Esta última es importante porque hace disminuir la acidez del vino.

La suma de los ésteres totales pasa de dos a tres miligramos por litro en el vino nuevo y llega de nueve a diez en los vinos añejos.

El acetato de etilo, posee una relativa importancia a causa de su volatilidad. Originalmente se pensaba que era un producto que dañaba al vino, pero actualmente se sabe que si bien es cierto que en alta concentración es un factor que contribuye al daño acético, también es cierto que en bajas concentraciones puede ser una parte agradable del olor del vino.

Los ésteres formados por los ácidos grasos (propiónico y butírico) con los alcoholes superiores, parecen tener importancia en la aparición del *bouquet*. Otros ésteres que parecen ser importantes son el etil laurato, etil propionato, etil butanato, amil acetato, pentil acetato y hexil acetato.

Vikingos en la compra del vino. *The Illustrator's Handbook*

## PRÓTIDOS

Los prótidos son las materias nitrogenadas que forman parte de las células vegetales y animales. En el vino se encuentran principalmente en forma de aminoácidos, los cuales se forman por la fijación de amoniaco sobre los ácidos cetónicos producidos en el metabolismo intermediario. Según Emile Peynaud, la prolina es el más abundante aminoácido de las uvas, y el vino, seguido por la treonina, lisina, ácido glutámico y serina. La prolina y la treonina, constituyen cerca del 70% del contenido total de aminoácidos en el vino. Hay que hacer notar que en el vino existen poco más de 30 tipos diferentes de aminoácidos. Existen otras pequeñas cantidades protéicas aparte de los aminoácidos, pero el total de materias nitrogenadas en el vino se encuentra en cantidades que varían de 4 a 8.75 gramos por litro.

Algunos prótidos pueden provenir de sustancias añadidas al vino para clarificarlo, como la cola de pescado, lo que explica el hecho de que se presenten brotes de urticaria en algunas personas de sensibilidad especial, al tomar vinos blancos muy clarificados.

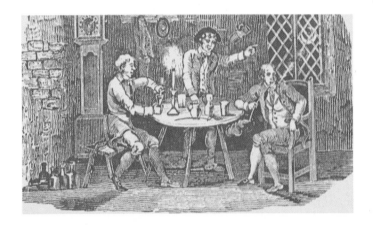

Reunión de amigos, donde el tema principal es el vino.
Thomas Bewick

## LÍPIDOS

Son materias grasas de la naturaleza del aceite común. Se encuentran en muy débil cantidad en el vino, proviniendo en parte de las pepitas y en parte de la materia cerosa de la piel de las uvas. También se encuentran en ciertas cantidades de glicerofosfatos, que pueden provenir de la esterificación del glicerol y del alcohol etílico bajo la acción del ácido fosfórico y de los fosfatos ácidos; suele haber más cantidad en los vinos tintos que en los blancos y más en los vinos viejos que en los nuevos. También puede existir lecitina, cuerpo complejo que forma parte de los núcleos de las células animales, aunque algunos autores suponen que no puede existir ésta en el vino por descomponerse durante la fermentación.

El disfrute del vino

## SALES ORGÁNICAS

Las principales sales orgánicas que se encuentran en el vino son: bitartrato de potasa, tartrato de cal y tartrato de hierro. El bitartrato potásico llega en los vinos nuevos a cuatro y cinco gramos por litro; el tartrato de cal, sal ligeramente laxante, se encuentra en pequeñas cantidades en los vinos; el tartrato de hierro se encuentra en cantidades variables, oscilando de cinco a diecisiete miligramos por litro mezclado a veces con tartrato férrico potásico y malatos férricos. También se encuentran trazas de pectatos, propionatos de cal, hierro y magnesio y acetatos de los mismos metales.

Sancho bebe con los peregrinos. *Dore's Illustrations for "Don Quixote"*

## SALES MINERALES

Las sustancias minerales se separan fácilmente de las orgánicas por incineración, durante la cual las segundas se volatizan y nos quedan las minerales (excepto el amoniaco) que permanecen en las cenizas, donde se pueden analizar.

Los principales aniones minerales son el azufre, que alcanza en el vino, bajo la forma de sulfato, cifras que varían de 0.15 a 0.3 gramos por litro. El fósforo alcanza concentraciones que varían de 0.02 a 0.16 gramos por litro siendo más abundante en los tintos. En ocasiones el fósforo puede, sobre todo en presencia del aire, formar con el hierro un precipitado insoluble que enturbia el vino y constituye la "quiebra blanca". El cloro no es demasiado abundante en el vino, generalmente 1/20 de gramos por litro, pero esta cifra puede aumentar considerablemente, a veces casi a un gramo debido a que la viña esté próxima al mar o a que contenga impurezas de diferentes productos enológicos que se añaden al vino en el proceso de clarificación, el encolado en particular.

También tenemos presentes en mínimas cantidades el silicio y el boro, el flúor, el bromo, el yodo (cuya concentración aumenta cuando la viña está cerca del mar) y en menor cantidad de arsénico. Los cationes del vino son numerosos y variados; el más abundante es el potasio, cuya cifra media es de un gramo por litro. Le sigue el magnesio, diez veces menos abundante y a continuación el calcio y el sodio en menor cantidad. El hierro y el cobre proceden de la uva, pero en el curso de la vinificación su cantidad se triplica o cuadruplica. El aumento de estos dos metales entraña un doble peligro, curiosamente contradictorio: el vino aereado oxida al hierro que precipita bajo la forma de fosfato de hierro, mientras que si falta el aire, el cobre reducido se combina con el ácido sulfuroso y precipita a su vez.

*El rey Enrique IV.* Acto I, escena II, *The Illustrated Shakespeare*

## ÁCIDO SULFUROSO

Su empleo como antiséptico es tan antiguo que data desde los tiempos romanos, y es un auxiliar indispensable en todos los pasos de la vinificación, pues tiene la virtud de matar las bacterias sin dañar a las levaduras que causan la fermentación. Abunda más en los vinos blancos que en los tintos, especialmente en los blancos licorosos. Cuando se encuentra en exceso, su olor y sabor llegan a ser detectables y desagradables, comunicando al vino un sabor a huevo podrido o ajo. La proporción de ácido sulfuroso en el vino es muy variable, dependiendo de la clase de los vinos. En Francia, el máximo autorizado por la ley es de 450 miligramos por litro.

## GASES

El más importante es el anhídrido carbónico, el cual se produce durante la fermentación alcohólica en grandes cantidades, y por ser más pesado que el aire tiende a colectarse en los lugares bajos, por lo que es necesario ventilar bien durante la fermentación. Sin embargo, también se produce durante la fermentación maloláctica y es responsable de la ligera efervesencia encontrada en ciertos vinos como por ejemplo, el Crepy y el Gaillac Perle, que continúan la fermentación maloláctica en la botella.

Por supuesto, el anhídrido carbónico es el gas que encontramos en el champagne y en otros vinos espumosos desarrollados por otros procedimientos, y aun en aquellos en los que artificialmente se introduce este gas. Los vinos sometidos a crianza pueden tener también algo de aire disuelto, aunque en general, ese aire entrando en combinación con los elementos del vino, contribuye al envejecimiento de éste.

*Brindis*. Thomas
Bewick

## TRAZAS MINERALES

En el vino existen muchos otros metales, de tal manera que la lista va siempre en aumento. Se les encuentra en cantidades del orden de un miligramo por litro, al zinc, manganeso, aluminio y rubidio; del orden de la décima de un miligramo por litro al estaño, titanio, vanadio y estroncio; del orden de la centésima de un miligramo por litro al molibdeno y al bario, en cantidades menores, al cobalto, cadmio, níquel y aun en menor cantidad al cromo, talio y otros.

## OTRAS SUSTANCIAS

Junto a los componentes fundamentales que constituyen el vino y cuyas cantidades son más o menos importantes, existen otras sustancias de importancia no menor, pero cuya cantidad es a menudo infinitesimal. Entre ellas señalaremos las diastasas y las vitaminas.

Las diastasas son muy numerosas en el vino, tanto las que proceden de la uva, como las que derivan de los microorganismos que pululan. Encontramos catalasas, oxidasas, invertasas, proteasas, pectasas, etc.

La invertasa por ejemplo, que hidroliza la sacarosa, abunda en el grano de uva y pasa al mosto, transformando rápidamente la sacarosa en glucosa y fructuosa; pero en el vino nuevo, al término de la fermentación alcohólica, la transformación de la sacarosa es aun más rápida, pues las levaduras producen y difunden en el vino esta diastasa. Esta actividad diastásica va disminuyendo, pero subsiste a veces todavía en los vinos viejos.

Servicio del vino.
*The Illustrator's Handbook*

## VITAMINAS

En el vino existen solamente vitaminas hidrosolubles, ya que las liposolubles, íntimamente ligadas a las grasas las cuales se encuentran en muy escasa cantidad en el vino, no existen en el mismo. De las hidrosolubles es probable que se encuentren todas, pero mencionaremos solamente las que han podido determinarse cuantitativamente: la vitamina B1, aneurina o tiamina, que juega un importante papel en el tejido nervioso, se encuentra en mayor cantidad en el tinto (120 a 150 millonésimas de gramo por litro) que en el blanco (15 a 130 millonésimas de gramo por litro). A menudo esta vitamina llega a desaparecer debido a que se destruye por el ácido sulfuroso. La vitamina B2, rivoflavina o lactoflavina, también se presenta en mayor cantidad en los tintos (100 a 200 millonésimas de gramo por litro) que en los blancos (10 a 100 millonésimas de gramo por litro). La vitamina B3, nicotinamida o factor PP de Goldberger, abunda en el mosto, pero es utilizada por las levaduras y su cifra baja en el vino, estabilizándose entre 1 y 2.2 miligramos. La vitamina B4 adenina, existe más o menos en las mismas proporciones. La vitamina B5 o ácido pantoténico, existe en una cantidad alrededor de un miligramo por litro y un poco menos en los vinos blancos.

Bebedores. *The Illustrator's Handbook*

La vitamina B6 o piridoxina, es bastante variable en el vino, pues ciertas levaduras la hacen disminuir, mientras otras la hacen aumentar. Su cifra media es de 0.45 miligramos, tanto en los tintos como en los blancos. La vitamina B12 o cobalamina, varía de 0.05 a 0.1 de gama por litro; la vitamina H o biotina, se sitúa alrededor de las 2 gamas; la vitamina I o mesoinositol, es más abundante, con 100 a 400 miligramos en los tintos y 300 a 800 miligramos en los blancos. La vitamina C, o ácido ascórbico (alrededor de los 30 miligramos por litro) y la vitamina P son bastante abundantes.

## RADIACTIVIDAD

Se ha comprobado que existe en los vinos blancos en mayor cantidad que en los tintos, pero que en estos últimos la dosis de radiactividad es más constante que en los vinos blancos, en relación con las diversas añadas. El envejecimiento no hace desaparecer el poder radiactivo del vino, que vendría a ser como el de algunas aguas minerales, incluyendo en las cualidades gustativas y tónicas del mismo. La radiactividad en el vino produce en el organismo los siguientes efectos: aumenta la fórmula sanguínea, activa los cambios respiratorios y ejerce en la sangre una acción bactericia y antitóxica.

Religioso que celebra con vino. *The Illustrator's Handbook*

*El vino es base de la felicidad porque:*
*Bienaventurado aquel que bebe el vino con humildad, porque poseerá la fuerza.*
*Bienaventurado el que bebe el vino con modestia, porque tendrá la riqueza.*
*Bienaventurado el que bebe el vino con conocimiento, porque conocerá la tierra.*
*Bienaventurado el que bebe el vino con inteligencia, porque conocerá la ciencia.*
*Bienaventurado el que bebe el vino con amor, porque verá a Dios, a sus ángeles, y a sus santos.*
*Bienaventurado aquel que bebiendo buen vino, tiene tantas virtudes y puede ver a Dios. Quien lo ve tiene el alma más blanca, lo que le valdrá la felicidad eterna.*

ANÓNIMO

Benedetto
Antelami, que
simboliza al mes
de septiembre
Catedral de
Ferrara, Italia

Bebed
*pues dormirás luego largo tiempo*
*bajo la tierra*
*sin compañero, sin amigo, sin mujer*

OMAR KHAYYAM

# 5. El vino a través de la historia

Hace muchos años, hubo un rey en Persia, llamado Jamshid, apasionado por las uvas. Las mujeres de su harem le llevaban fuentes con enormes y lustrosos racimos de todos los tonos y fragancias imaginables, que el desgranaba, complacido, día tras día. A fin de saborearlas todo el año, cuando concluía la temporada de vendimia, guardaba las uvas dentro de unas vasijas, en una habitación fresca de su palacio. Un día descubrió que las uvas habían estallado y que un líquido espeso manaba de ellas, el cual tenía un fuerte olor y un sabor ácido que en nada recordaba la dulzura de los frutos. Jamshid, descorazonado, tuvo la certeza de que el jugo de las uvas se había convertido en veneno y advirtió a sus cortesanas del peligro de tomarlo.

Una de ellas, habiendo perdido los favores del rey y –por lo tanto– el sentido de la vida, decidió suicidarse y con ese propósito se deslizó en la celda de las ánforas. Bebió unos sorbos de la extraña pócima y se sintió mareada inmediatamente. Sus piernas temblaban y su corazón lo sentía rebosante de felicidad y de deseo. Por intuición tomó una jarra, la llenó del brebaje oscuro que había probado y se dirigió a la alcoba del rey, cayendo a sus pies en medio de risas y rubores. El rey no pudo contenerse ante la imagen tan plena de felicidad y probó el líquido que le ofrecían. De pronto comenzó a sentir los mismos extraños efectos y sintiéndose lleno de dicha, comenzó a danzar y a reír con su antigua favorita, para terminar después en un acto de amor, con los labios rojos y brillantes por el vino.

¿Es ésta una realidad o una fantasía? Nunca lo sabremos. ¿Fueron Jamshid y su cortesana los que descubrieron el vino? ¿Fue en Persia?

Ánforas para vino

Existen datos concluyentes que no dejan lugar a dudas en cuanto a la existencia del vino, en documentos tan importantes como la *Biblia* y otros más. Sabemos que en culturas tan antiguas como la egipcia, la griega y la romana, ya se bebía vino y frecuentemente se hacía un culto de ello pero, ¿cuándo se comenzó a cultivar la vid y cuándo se tomaron los primeros vinos resultantes de la fermentación de la uva?

La mitología y los relatos históricos se confunden en la niebla del tiempo. Hay quienes aventuran que en la Europa Cuaternaria, cuando el hombre hizo su aparición por aquellas tierras, se empezaron a plantar vides. Muy probablemente estas plantas distaban mucho de ser las que ahora conocemos, procedentes de la *Vitis vinifera*. Quizá alguna especie de *Vitis* ya existía en forma salvaje cuando las primeras tribus nómadas llegaron a Europa o al Medio Oriente.

Sabemos que la gente bebe desde hace unos diez mil años, a partir del desarrollo de las primeras comunidades agrícolas, pero probablemente estas bebidas fermentadas estaban hechas con otros productos primarios, diferentes de la uva. La llamada civilización occidental tuvo su origen en los países de la cuenca mediterránea, la cual es a su vez, lugar de origen de la elaboración y consumo del vino. Esto explica que escritores, poetas, pintores y escultores, hayan tomado a la vid y al vino como uno de los motivos frecuentes para sus obras. Por ello existen bajorrelieves persas y egipcios, esculturas griegas, ánforas romanas, poemas y relatos inspirados en el vino y que nos han permitido trazar las huellas de los orígenes del vino hasta un pasado muy remoto.

Si tratamos de respetar el orden, también deberemos aceptar la tésis que defiende el origen asiático del vino. Las cuatro civilizaciones más antiguas: sumeria, egipcia, india y china, se desarrollaron entre 3 500 y 1 500 años antes de Cristo, en los valles de los grandes ríos. No es aventurado suponer que ya desde entonces la vid había encontrado una forma apropiada de desarrollo, a lo largo de los ríos.

Adorador de Baco. *The Illustrator's Handbook*

## SUMERIA

Es lícito imaginar que el pueblo sumerio haya cultivado la vid en algún sitio apropiado, entre los ríos de Mesopotamia porque las tribus nómadas de arios que invadieron la India a mediados del segundo milenio antes de Cristo, ya bebían productos fermentados resultantes de la maceración de dátiles, caña, pimienta negra y coco. Sin embargo, estas bebidas de ninguna manera las podemos considerar como vino.

En un antiguo texto de los vedas, escrito por el sabio Pulastaya, se habla ya de un antepasado del vino, procedente de una "dranska", que en sánscrito significa viña. Este escrito es anterior a los fenicios y nos hace considerar que este vino pudo haber sido degustado por los arios de Asia Central.

Quinto Curcio refiere que los ejércitos de Alejandro Magno bebían un producto llamado "soma", que pudo haber sido similar al vino o a la cerveza, y que el héroe macedonio avanzó por territorio indio con su ejército expedicionario completamente ebrio, deteniéndose de cuando en cuando para entregarse a verdaderas bacanales.

## CHINA

En China, durante la Dinastía Chou, se relata que existían danzas rituales representativas de la fertilidad, en el *Libro de los cantos* existen frecuentes referencias al vino, lo que hace pensar que en estas danzas rituales se concedía muy especial importancia a beber.

En otro libro, el *Tchen-Ly*, escrito unos dos mil años antes de Cristo, se dan instrucciones prácticas para el mejor aprovechamiento de la viticultura. Lo cierto es que desde el tiempo de Tsin-Chi-Koang Ti, que fue quien mandó construir la Gran Muralla China y que reinó 200 años antes de Cristo hasta la Revolución China, el vino ha sido uno de los principales productos de importación.

## EGIPTO

Al parecer, en Egipto se bebió mucho y bien. Abundan escenas protagonizadas por el vino en monumentos, pinturas, decoraciones de recipientes, estelas funerarias y escritos. Ateneo, Dion, Estrabón y otros escritores antiguos, dieron testimonio de la existencia de viñedos y confección de vino en Egipto, por el método de introducir uvas en un saco y después retorcerlo en direcciones opuestas por medio de dos palos colocados en los extremos del saco. La B*iblia* tiene multitud de citas relacionadas con el vino. En el "Génesis" (40, 8 a 13) se habla ya de que José interpretó el sueño de un compañero de celda, el cual desempeñaba el oficio de jefe de coperos del faraón, algo así como un *sommelier* de los tiempos

El faraón Horemheb ofrece dos jarritas con vino a la diosa Hathor. Valle de los Reyes, Dinastía XVIII

antiguos, persona de buena nariz y agudo paladar, experto en el cuidado y servicio del vino del faraón.

En el "Libro de los números", de la B*iblia* (20, 5) se transcribe una airada protesta de los israelitas contra Moisés: "¿Por qué nos hiciste salir de Egipto y nos has traído a este miserable territorio que no se puede sembrar, que no produce higueras ni vides...?" Los seguidores de Moisés, en rumbo a la libertad, no se hacían el ánimo de perder las ventajas del buen vino, que habían aprendido a estimar en el curso de su vida de esclavitud en Egipto.

Existen descripciones de los mejores vinos de la época, como el elogio que hace Ateneo del vino de Mareotis, que describe como un vino blanco, dulce, claro y muy oloroso, que no se sube a la cabeza y que tiene una característica muy apreciada, que es la de poder guardarse indefinidamente sin perder sus cualidades. Este atributo era muy de tomarse en cuenta, porque el almacenamiento del vino representaba un problema vital.

El Teniótico, el Anthulla del Valle del Nilo y el Sabenítico, eran los mejores vinos de la producción egipcia y no solamente servían para las celebraciones religiosas del culto a Osiris, sino que también se usaban como medicamento y como una forma de alegrar y dar prestigio a las reuniones sociales. Conviene decir que en Egipto no se implantó ninguna restricción para el consumo del vino, ni siquiera a las mujeres, que según las leyes romanas y de otros países, no se les permitía beber.

En los festines, tanto hombres como mujeres bebían sin límite, como lo demuestran pinturas y grabados de la época en los que se ven damas con claros signos de embriaguez y opulentos personajes transportados por sus sirvientes en condiciones más que lamentables.

Quizá fue en Egipto donde surgieron las bacanales, orgías que causaron escándalo en Grecia y Roma y sólo pudieron ser controladas y finalmente suprimidas, hasta el año 186 antes del nacimiento de Cristo.

La vendimia
entre los egipcios

## ISRAEL

Muchos comentaristas han querido dar a Noé la originalidad de la primera borrachera del mundo y, en efecto, el "Génesis" (9, 20 a 27) relata que "...Noé se dedicó a la labranza y plantó una viña. Bebió del vino, se embriagó y quedó desnudo en medio de su tienda, ante sus hijos". Como Noé es para los israelitas el inventor del vino, así es Brahma para los vedas, Osiris para los egipcios, Dionisio para los griegos y Baco para los romanos. Los caldeos también contaron con Xiutros, como dios protector de los frutos de la tierra, y Assur fue para los asirios el principio supremo para la fecundación de los frutos y guardián de la vid.

Sin embargo —justo es reconocerlo—, no ha habido ningún otro testimonio escrito tan prolífico como la *Biblia*, en lo que atañe al número de citas en relación con la vid, con el vino o con los efectos de la bebida. En ocasiones estos efectos fueron muy tomados en cuenta para planear situaciones que no se hubieran realizado en circunstancias más normales. En el "Génesis" (19, 30 a 35) se relató como después de la destrucción de Sodoma y Gomorra, Lot se fue a vivir al monte en una cueva, acompañado de sus dos hijas; éstas, con el propósito de asegurar la descendencia, puesto que habían muerto todos los varones, dieron a tomar vino a su padre, durante dos noches consecutivas, para que perdiera la conciencia y de este modo se acostaron con él, una cada noche y así las dos engendraron hijos de su propio padre.

En el Nuevo Testamento, los pasajes de las Bodas de Canaan y de la Última Cena, relatan en forma dramática, la importancia que en esos tiempos se le daba al vino.

Para citar la *Biblia* por última vez, nos ha parecido importante transcribir el siguiente párrafo tomado del "Eclesiastés" (31, 25 al 31), el cual podría formar

La última cena.
Juan de Juanes,
Museo del
Prado, Madrid

parte de los estatutos de cualquier cofradía relacionada con la degustación del vino. Dice así:

"Con el vino no te hagas el valiente, porque a muchos los ha perdido el vino. Si lo bebes con medida, el vino es la vida para el hombre. ¿Qué significa la vida para aquel a quien le falta el vino, que ha sido creado para regocijo de los hombres? Contento del corazón y del alma es el vino bebido a tiempo y con moderación. Amargura del alma, el vino bebido con exceso o para provocación y desafío. En banquete, no reproches a tu prójimo, no le desprecies cuando esté contento, palabra injuriosa no le digas, ni le molestes pidiéndole dinero".

## PERSIA

Hacia el séptimo milenio antes de Cristo ya había viñas al sur del mar Negro, principalmente en algunas zonas de Asia Menor, en Persia y en la Mesopotamia, Se dice que los persas fueron los primeros en aprender a combinar diferentes clases de vinos, para mejorarlos, por lo que lograron los primeros vinos nobles de la antigüedad. Al menos esto es lo que se afirma en el famoso *Zend avesta*, libro sagrado atribuido a Zoroastro.

Cuando Ciro el Grande, emperador persa, se apoderó de Babilonia, llevó a los prisioneros ilustres a que admiraran y probaran el "divino bálsamo de las viñas".

# GRECIA Y ROMA

Estos dos países se hallan tan vinculados en la cultura, que es difícil separarlos. Grecia, entre muchas otras cosas, heredó a Roma el conocimiento de la vid y del vino. Dionisio, o Baco en la traducción romana, es la más prestigiosa divinidad del Olimpo, el dios benefactor de los frutos y cuidador del vino, además del propagador del gusto de beber.

Dionisos, dios
griego del vino

*Baco*. Rubens,
Galería Uffizi,
Florencia

El triunfo de
Baco ("Los
borrachos").
Velázquez,
Museo del
Prado, Madrid

La Ilíada y La Odisea, escritos por Homero un milenio antes del nacimiento de Cristo, están llenos de alusiones al vino. En la mitología griega y romana abundan leyendas de dioses y de héroes relacionados con el vino, y en estos relatos la fantasía se mezcla libremente con sucesos que pudieron haber sido reales. Se sabe que en las fortalezas de Micenas y en los fabulosos palacios de Minos se bebía con singular complacencia. Lo mismo podría decirse de Troya, e incluso se ha llegado a decir que Paris, raptor de Helena, la retuvo mucho tiempo en Troya, para que los buenos vinos de la región fueran debilitando poco a poco la erótica voluntad de la bella. Los griegos antiguos ofrecían libaciones a sus dioses y desde antes de los tiempos homéricos ya existían los bebedores. Los vinos preferidos por los griegos, eran los vinos dulces, viejos y concentrados. Estos vinos pudieron haber sido parecidos al Malvasia.

Los Paminean y Maronean —descritos por Homero— parecen haber sido muy buenos, aunque no necesariamente del gusto actual, ya que los mezclaban con perfumes o con agua de mar. Muchas de las cepas cultivadas en Grecia seguramente fueron trasplantadas a sus colonias en el sur de Italia y Sicilia. En el norte de la península, los etruscos ya eran gente que les gustaba beber y que amaban el lujo y los espléndidos banquetes.

De ahí se desprende que la vinicultura haya sido una herencia natural para los romanos, quienes —como los griegos— elaboraban vinos rojos, blancos y ámbar, a veces tan espesos que parecían jarabe y con tanto residuo que tenían que ser colados con una tela y disueltos en agua caliente. El vino se transportaba en vasijas de cerámica. Fragmentos de estos vasos se han encontrado a lo largo de caminos y en las orillas de los ríos. Incluso, se han rescatado del fondo del mar, en barcos que se hundieron en el Mediterráneo, ánforas aun tapadas que contienen un líquido que en los tiempos anteriores a Cristo fueron vino joven.

Al extenderse la cultura romana con la conquista de los países mediterráneos, también se extendió el cultivo de la viña. Siguiendo las huellas de los ejércitos romanos, la vinicultura penetró a las Galias, remontó el Ródano hasta Lyon y posteriormente alcanzó la Borgoña y el Rhin. Aunque ya se conocía el vino en estas comarcas, su consumo se generalizó. Al mismo tiempo, o poco después, la vid se extendió a Burdeos, siguiendo las aguas del Garona y después, a la península Ibérica.

Ya al final del siglo primero, el vino de las Galias se exportaba a Roma, lo cual dio por resultado que en el año 97 el emperador Domiciano publicara un edicto para que se arrancaran todas las viñas en las comarcas imperiales, seguramente para proteger los vinos romanos de la competencia, que había producido una vertiginosa caída de los precios y al mismo tiempo para favorecer el cultivo del trigo. Afortunadamente, el emperador Marco Aurelio Probus canceló el edicto y no sólo esto, sino que transformó a sus legionarios en pacíficos viticultores, cada vez que la guerra se lo permitía, de modo que ya para fines del siglo III, el viñedo ocupaba en Europa las mismas regiones en que hoy se encuentra.

## EDAD MEDIA

La viticultura no sufrió demasiado con la caída del Imperio Romano ni con los difíciles tiempos que siguieron, gracias a la Iglesia, que efectuó el relevo. El obispo, dueño de la ciudad, por conveniencia de los reyes germánicos que los necesitaban para seguir gobernando según la tradición romana, se convirtió en viticultor y bodeguero. Se trataba de asegurar la producción de vino necesario para los ritos religiosos y para el aprovisionamiento del pueblo, además de enriquecer las bodegas obispales para poder honrar a los altos personajes y a los monarcas, durante su paso o su estancia en la ciudad.

Al extenderse el cristianismo en Europa, también proliferaron los monasterios y sus patrones nobles o de la realeza, les concedieron tierras y facilidades para el cultivo de la vid, particularmente en la Borgoña, algunos de cuyos vinos de Beaune ya eran conocidos en Roma.

Carlomagno, al ser coronado en el año 800 como emperador, quiso tener sus propios viñedos en Cortón, de ahí el nombre del gran viñedo: Cortón-Charlemagne. Por el año 1 100, los monjes cistercienses fundaron el famoso Clos de Vougeot y dieron a conocer su espléndido vino, así como otros vinos en Chablis. Después, en la época en que los vinos se tomaban jóvenes, los germanos promovieron el gusto por los vinos viejos, guardándolos en grandes barricas para su crianza. Se plantaron viñedos en Alsacia y los vinos alsacianos se concentraron en Colmar y Estrasburgo para ser exportados a los principados de Alemania. El vino,

Pago de
derechos reales,
con vino *An
Illustrated
Outline History
of Mankind*

incluso, llegó a Inglaterra en donde fue conocido con el nombre de Osey y altamente apreciado.

A lo largo de la Edad Media la Iglesia fue la fuente principal en la producción de vinos, los monjes aprendieron y desarrollaron las técnicas necesarias para mejorar su calidad, tanto para el consumo sacramental como para el popular. Los mejores vinos nunca salían del monasterio; los que les seguían en calidad eran para los señores feudales, y los comunes eran para la venta. Cluny −en Borgoña− era el gran centro monástico. Cuando la vid monacal se hizo demasiado lujosa, los ascéticos cistercienses rompieron con la regla y emigraron, propagando el *Evangelio* y diseminando el cultivo de la vid, dentro y fuera de las fronteras de Francia. Al cruzar el Rhin, en la región de Rheingau, ocuparon el famoso monasterio Kloster Eberbach, fundado por los monjes agustinos, e hicieron famosos los vinos que produjeron, precursores de los Steinberg actuales.

En los primeros tiempos medievales se plantaron viñas en la parte sur de Inglaterra, pero la mayor parte del vino se importaba de Francia y de la región del Rhin. A pesar del matrimonio de Enrique II Plantagenet con Leonor de Aquitania −que bajo la corona inglesa una enorme parte del suelo francés− los vinos de Burdeos no se exportaron a Inglaterra y los países de la Liga Hanseática, sino hasta finales del siglo XIII. Un siglo después, los ingleses podían tomar vinos de España y Portugal y vinos dulces de Creta y Chipre.

Mientras tanto, en el Medio Oriente, en donde se había tomado vino desde épocas muy remotas, su consumo había sido prohibido por los seguidores de Mahoma, de modo que al extenderse la dominación musulmana, también se extendió la prohibición de beber vino, aunque los turcos nunca la aceptaron del todo. Los monjes de Carbonnieux que deseaban vender vino a los turcos, lo embotellaban como agua mineral de Carbonnieux. Sin embargo, los cruzados encontraron nuevas viñas en tierras sarracenas, las cuales trajeron de regreso y plantaron en las cercanías de los Pirineos. Estas uvas Muscat dieron origen a los famosos vinos Muscat de la región de Languedoc.

Como en esos tiempos el vino se bebía joven, en ocasiones era muy ácido, por lo que en los banquetes se hacía más agradable añadiéndole miel y especias. De estos vinos, el más conocido fue el Hipocrás, que era de tipo licoroso. Borgoña no dio a conocer sus vinos en el extranjero debido a sus malos caminos, sin embargo fue muy conocido en toda la región. En 1395, Felipe el Calvo, duque de Borgoña, ordenó quitar los viñedos de Gamay para que en la región solamente se produjeran vinos con la uva noble, Pinot Noir; el vino de Borgoña también fue muy apreciado por los Papas durante su exilio en Avignón.

Joven Baco.
Busto hecho en
bronce, Jean
Baptiste
Corpeaux

Alegoría del
vino. *The
Illustrator's
Handbook*

## RENACIMIENTO

En la región de Champagne, la vid plantada por los romanos aún producían vinos tintos que se exportaban mucho antes de los de Burdeos. San Remí, que en el año 496 bautizó a Clovis en la ciudad de Rheims −iniciando de este modo la cristia-

DOM Perignon,
Yves Debraine,
Moet-Chandon,
Eparnay

Pupitres de
madera para la
primera
fermentación del
champagne

nización de los reyes germánicos– poseía viñas en Champagne y es el santo patrón del distrito. Enrique VIII y el cardenal Wolsey gustaban de estos vinos y Enrique IV de Francia fue el primero en llamar con el nombre Champagne a los vinos espumosos de Rheims y Epernay. Sin embargo, no fue sino hasta el siglo XVII cuando el monje Dom Perignon creó un vino espumoso con las características del champagne que ahora conocemos.

# ÉPOCA MODERNA

Desde el tiempo de Isabel I se conocía el jerez en Inglaterra y, debido a los altos impuestos que causaba el vino francés, el oporto se hizo popular en ese país desde principios del siglo XVIII, aunque la gente lo consideraba como un vino muy inferior al de Burdeos. En ese tiempo, el oporto era un vino de mesa y no el vino fortificado que tomamos en la actualidad. Pocos años después, los portugueses aprendieron a fortificar y madurar el vino, como lo hacen ahora, y para finales del siglo XVIII el oporto era el vino más popular y apreciado, aunque el Hermitage, Champagne y Madeira eran también muy gustados.

Durante estos años las botellas de vino tomaron la fomra que tienen actualmente, así que en 1781, el primer clarete embotellado en botella redonda, fue colocado en posición horizontal en las cavas de château Lafite.

La Revolución Francesa cambió completamente el mecanismo de producción del vino, ya que todos los mejores viñedos, propiedad de la Iglesia o de los nobles, fueron confiscados y repartidos entre el pueblo; poco tiempo después, Napoleón Bonaparte produjo otra revolución en Alemania, al secularizar los viñedos. Desde entonces, en Borgoña los viñedos quedaron divididos en numerosas pequeñas parcelas, mientras que en Burdeos las grandes propiedades fueron pronto restablecidas. Tayllerand se convirtió en el propietario del Château Haut Brion y su principal oponente en el congreso de Viena, el ministro Metternich fue premiado con un título de nobleza y con la posesión del Schloss Johannisberg, que produce uno de los mejores vinos del Rhin.

Para mediados del siglo XIX se habían establecido viñedos en Sudáfrica, Australia y América. La vid americana fue llevada a Europa y junto con ella, la phyloxera, plaga que prácticamente acabó con los viñedos europeos. Afortunadamente, junto con la plaga llegó el remedio, porque se descubrió que las raíces de viñedos americanos eran resistentes al parásito y de este modo pudieron injertarse viñas europeas en raíces americanas, haciendo que nuevamente floreciera la vid y el comercio de los vinos europeos.

En 1855, durante la Feria Mundial en París, se hizo la clasificación de los grandes vinos del Medoc.

En 1863 Louis Pasteur fue requerido por Napoléon III para que estudiara la causa por la que se echaba a perder mucho vino antes de llegar al consumidor, con gran deterioro de las finanzas del país. Pasteur estableció que si el vino estaba expuesto al oxígeno, se favorecía el crecimiento de las bacterias productoras de vinagre, por lo que recomendó que se sellaran las botellas. La poca cantidad de oxígeno disuelto en el vino y el que se encuentra en el cuello de la botella es suficiente para que el vino madure poco a poco. Demasiado oxígeno produce cambios rápidos de envejecimiento y el vino se deteriora. Louis Pasteur finalmente explicó el proceso de fermentación del vino, que aunque conocido por siglos, no había podido ser explicado científicamente: la acción de los fermentos o levaduras, transforma el azúcar en alcohol.

Cava
subterránea

## DESARROLLO DE LA VITICULTURA EN AMÉRICA

Cuando los vikingos descubrieron América, ya existían vides autóctonas; de ahí el nombre de Vineland, o Tierra de las Vides, que le pusieron al territorio descubierto. Sin embargo, no fue sino hasta después de la conquista española, que Hernán Cortés mandó traer vides españolas para sembrarlas en México, pero un tiempo después, Felipe II —como Domiciano— decretó la desaparición de las vides mexicanas con el propósito de proteger el comercio de los vinos españoles. A pesar de la prohibición, la vid se propagó a Perú, Chile y Argentina.

Los misioneros jesuitas también habían traido vides para poder fabricar el vino sacramental en México; la vid primitiva, conocida como Mission, floreció en Baja California. En 1767 los jesuitas fueron expulsados de México y se radicaron en California; en la Misión de San Diego, Fray Junípero Serra plantó la primera vid. Actualmente California ha desarrollado la viticultura en forma notable y sus vinos finos pueden competir con los buenos vinos europeos, tanto en calidad como en precio. La escuela de enología de Davis, indudablemente ha sido un factor decisivo de progreso, a través de la investigación.

Botas para vino

## LA VITICULTURA EN MÉXICO

En el México Prehispánico se bebía, pero no un producto fermentado de la uva, sino pulque, que es la bebida que se obtiene del aguamiel, extraído del maguey por succión directa. En relación con el descubrimiento del pulque. Fernando de Alva-Ixtlixóchitl, historiador mexicano, refiere en sus *Relaciones* que habían heredado Tecpancaltzin, el señorío de los Toltecas. En el 10° año de reinado fue a su palacio una doncella muy hermosa llamada Xóchitl, con su padre Papatzin, a presentarle la miel del maguey, recién descubierto. El rey se enamoró de la doncella, a la que sedujo y después tuvo un hijo a quien le pusieron Meconetzin, que quiere decir "hijo del maguey".

El dios mexica del pulque era un conejo que tenía el nombre de "Ome Tochtli" que significa "dos conejos". A los que tomaban mucho pulque y sentían los efectos de la borrachera se les decía que se habían apoderado de ellos los "Cetzontotochtin" o "cuatrocientos conejos", cuyos colores distintivos eran el negro y el rojo, que se equiparaban con el sueño y el despertar de los beodos, con la ofuscación y la lucidez, con la muerte y el renacimiento de la naturaleza.

Entre los aztecas estaba prohibido beber y los infractores eran castigados con penas muy severas, incluyendo la pena de muerte, sobre todo si el ebrio era noble. Solamente a los viejos sin función social les estaba permitido tomar. Estas leyes tan estrictas continuaron vigentes durante la época virreinal, con excepción de la pena de muerte. A pesar de esto, no se logró controlar el alcoholismo entre los indígenas.

Tres años después de la conquista de Tenochtitlán, el 20 de marzo de 1524, Hernán Cortés dispuso que todo encomendero que tuviere repartimiento, sembrara mil sarmientos por cada cien indios. En 1531, Carlos V ordenó que todos los navíos con destino a las Indias llevaran viñas y olivos para sembrar. Fray Toribio de Benavente relata que en 1536 ya había un viñedo en el Val de Cristo, a cuatro leguas a Puebla y también se describen plantaciones de vid en Tehuacán y Michoacán.

En 1593, el conquistador Francisco de Urdiñola introdujo el cultivo de la vid en Nueva Vizcaya, de donde fue gobernador y estableció las primeras bodegas vinícolas de las que se tiene noticia, en la hacienda de Santa María de las Parras, hoy del Rosario, de la que actualmente sólo se conserva una pared de adobe empotrada en una de las modernas oficinas de la empresa vitivinícola del marqués de Aguayo.

Como para esas fechas la producción de vino era muy importante, los mercaderes españoles presionaron para no perder el monopolio y, Felipe II ordenó que se arrancaran las vides y prohibió que se hicieran nuevas plantaciones. Estas disposiciones fueron obedecidas sólo parcialmente, y a pesar de la prohibición el cultivo de la vid se extendió a Perú, Chile y Argentina.

Cerca de las tierras de Urdiñola, en Parras de la Fuente, Lorenzo García plantó viñedos y en 1626 fundó bodegas de San Lorenzo. Clavijero atribuye al misionero jesuita Juan de Ugarte, la plantación de la primera viña de Baja California en 1717.

Antes de que se iniciara la lucha insurgente de 1810, don Miguel Hidalgo y Costilla incrementó los viñedos existentes en los contornos de la población de Dolores. Después de la consumación de la Independencia Nacional, en 1822, los vinos extranjeros se gravaron con un 20% de su costo y los vinos nacionales con el 12%. Un año después, la tasa de importación había subido al 40%, y en cambio se habían suprimido los impuestos a las plantaciones del café, cacao, olivo y vid, existentes en el país. Esto constituyó un fuerte estímulo para la industria vitivinícola. Se hicieron grandes plantaciones en Tehuacán y en Celaya, así como en el norte de la república.

En 1870, Evaristo Madero Elizondo adquirió en Parras la hacienda y las bodegas de San Lorenzo, que fueron las segundas que se establecieron en la Nueva España. Don Evaristo, tío del iniciador de la Revolución Mexicana, Don Francisco I. Madero, importó de Europa en 1884 las más ricas variedades de uva y compró en

Limoges, maderas de Limousin, con las que armó cubas y barriles e introdujo mejoras en la elaboración de vinos, que le dieron la satisfacción de ganar importantes premios en varias exposiciones internacionales.

También en Parras se han establecido las bodegas del Delfín de Perote y del Vesubio, y cerca de Parras, en Gómez Palacio, se encuentra ubicada la compañía vinícola de El Vergel, con plantíos en la frontera entre Coahuila y Durango.

En 1890, el español Francisco Andoanegui sembró de vides los terrenos de la antigua misión dominicana de Santo Tomás, en los fértiles valles del norte de la península de Baja California y organizó una industria con una gran producción de vino, logrado a base de técnicas modernas.

Otras dos industrias vitivinícolas se instalaron en el Valle de Guadalupe, en donde existía una colonia fundada en 1906 por 300 rusos caucásicos. Una de estas industrias elabora actualmente los vinos Terrasola y la otra, muy importante, constituye la rama mexicana de la casa Pedro Domecq, que elabora brandis y los conocidos vinos Calafia y Los Reyes.

En el centro del país, Don Nazario Ortiz Garza inició la industria vinícola de Saltillo y en Aguascalientes formó la empresa vitivinícola San Marcos. En el valle de San Juan del Río se encuentran enormes sembradíos de vid de la compañía Cavas San Juan y cerca de Tequisquiapan, está instalada la casa Martell de Francia que produce brandy y vinos de mesa. En resumén, podemos decir que en 1939, la superficie plantada de viñedos era de 1 500 has y en la actualidad rebasa las 52 000.

Vino blanco "Calafia", en los viñedos de Calafia, Baja California, México

Vino tinto "Los
Reyes", en los
viñedos de
Calafia

El médico del
gobernador
Sancho le indica
los beneficios de
la comida y de
la bebida.
*Dore's
Illustrations for
"Don Quixote"*

La reina
Nefertari ofrece
dos jarritas de
vino a la diosa Isis

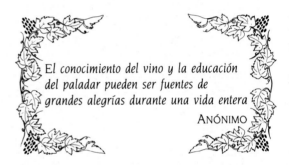

*El conocimiento del vino y la educación
del paladar pueden ser fuentes de
grandes alegrías durante una vida entera*

ANÓNIMO

# 6. Geografía del vino

Entre los paralelos o latitudes de 30 y 50° en ambos hemisferios, se sitúa la franja del vino. Estas regiones geográficas son favorecidas por el clima (inviernos fríos y veranos templados y hasta cálidos) y por el suelo (terrenos secos, subsuelo húmedo y rico en sustancias minerales), características propicias para el cultivo de la vid. En el hemisferio norte esta franja se extiende desde los Estados Unidos (California) y México (Baja California y norte de Sonora) hacia el este, abarcando Europa Occidental y la cuenca del Mediterráneo, el norte de África, Oriente medio y hasta China y Japón en Asia. En el hemisferio sur, desde Chile y Argentina hasta Sudáfrica, Australia y Nueva Zelanda.

# ZONAS VINÍCOLAS EN EL MUNDO

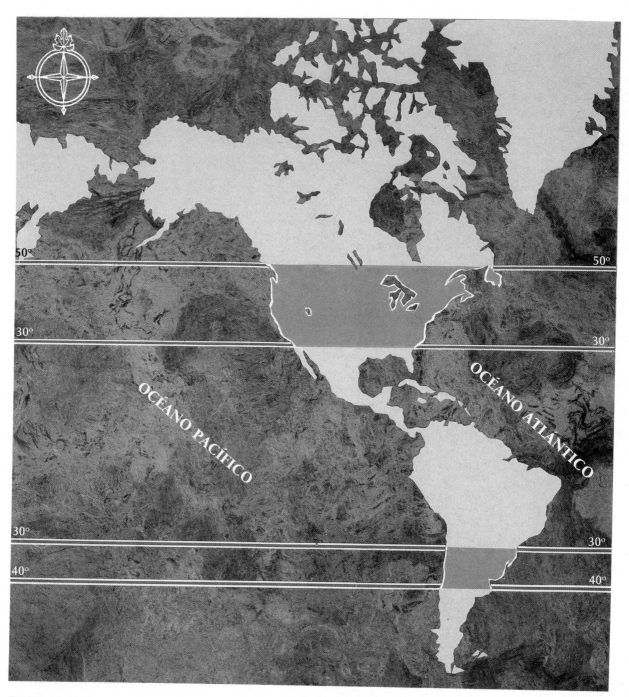

Franjas del vino

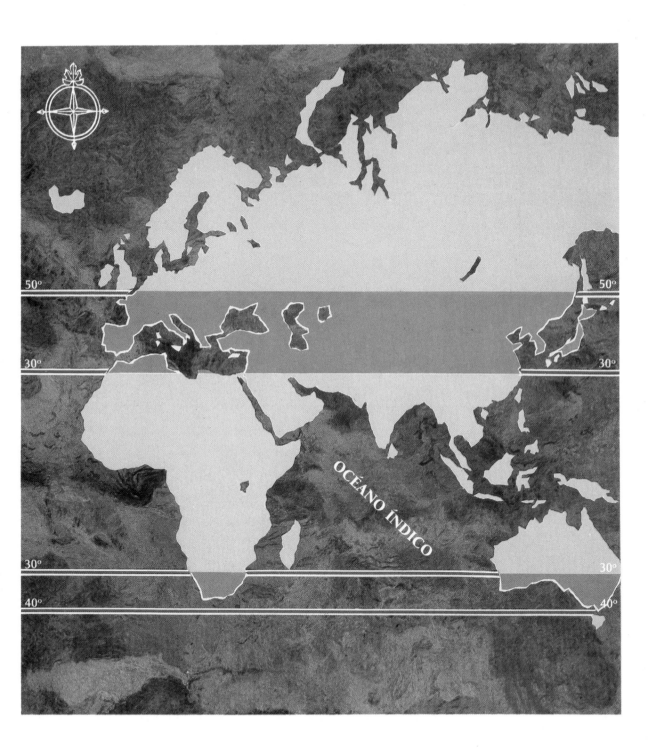

# EUROPA

De todas estas regiones, Europa lleva la delantera en producción, consumo y calidad y, entre otros países, Francia, España, Italia, Alemania y Portugal ocupan los primeros puestos en las estadísticas internacionales de calidad y producción. Elegimos Francia para comenzar este capítulo por ser la indiscutible maestra de los vinos, porque produce más cantidad y variedad de grandes vinos y porque el vino es parte de la historia de Francia y de los franceses, una manifestación viva de su cultura.

*Alegoría del vino.* Chateau Ducre-Beaucaillon

# FRANCIA

Francia no solamente es sensual y meticulosa, sino también metódica. No sólo posee buenos viñedos, sino que también los define, clasifica y controla. La lista ordenada de los mejores se viene practicando desde hace 200 años. La dedicación a la viña y al vino no es en Francia sólo una tarea agrícola o industrial; es mucho más, es una manifestación cultural que desde hace siglos marca la historia del país.

Tal vez Burdeos y Borgoña sean las regiones productoras más conocidas fuera de Francia, pero hay otras como Champagne, Alsacia, las Côtes du Rhone, Provence, el valle del Loira o el de Jura, Languedoc, Saboya, etcétera.

Zonas vitivinícolas de Francia

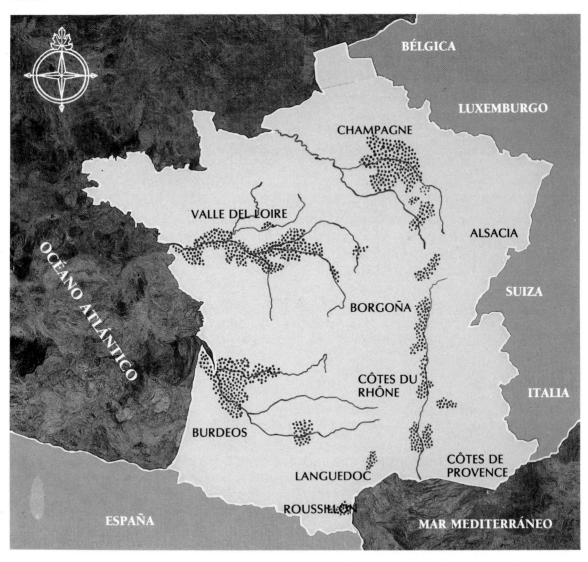

163

BORGOÑA

Aunque desde antes de la época galo-romana se cultivaba la viña en Borgoña, el primer apogeo de su desarrollo coincide con el trabajo afanoso de los monjes de Citeux, en el siglo XII. Luego fue Auxerre, en la baja Borgoña, la capital del vino. En el siglo XIII empieza a destacarse Côte de Beaune como el centro vinícola más importante y desde esta región habrá de difundirse la fama mundial de los vinos franceses.

Cuatro departamentos de la provincia de Borgoña producen vino, los cuales a su vez, se dividen en cinco subregiones: Chablis (departamento del Yonne); Côte d'or (departamento de igual nombre) que comprende la Côte de Nuits y la Côte de Beaune; Côte Chalonnaise (departamento de Saone-et-Loire); Maconnais (también departamento de Saone-et-Loire); y, finalmente Beaujolais (departamento de Saone-et-Loire y del Rhône).

*Chablis*, el viñedo más al norte de Borgoña, produce vinos blancos secos, muy finos, afrutados, de color amarillo verdoso, de cepa Chardonnay (uva que da muy buenos vinos blancos y base del champagne).

*Côte d'or*, la región más gloriosa de la Borgoña, que se divide en la Côte de Nuits, que produce casi exclusivamente vinos tintos, los mejores de la región, y la Côte de Beaune, donde se dan tanto vinos tintos como blancos.

La *Côte de Nuits* tiene una extensión de 1 200 has aproximadamente y se extiende desde Dijon a Prémeaux, produciendo una variada gama de muy buenos vinos tintos en cada una de sus comunas, y pocos, aunque también excelentes, vinos blancos. Sus vinos rojos son de apariencia suntuosa, con mucha personalidad y extraordinario *bouquet*, logrando en el paladar un efecto muy especial, común a casi todos sus vinos, que suele denominarse "cola de pavo real". Este efecto es la sensación de un placer que se abre poco a poco, volviéndose cada vez más intenso y complejo, desplegándose en abanico por la boca, para finalmente, alcanzar su culminación en la cavidad nasofaríngea.

Por su parte, la *Côte de Beaune* tiene una extensión de 2 800 has. Sus tintos son más delicados, con mayor recato y distinción que los de la *Côte de Nuits*. Los blancos, por sus suavidad, aroma y cuerpo son considerados los mejores de Borgoña. Las comunas más importantes de la Côte de Beaune son Aloxe-Corton, Pernand-Vergelesses, Savigny-les-Beaune, Beaune, Pommard, Volnay, Mersault, Blagny, Chassagne Montrachet, Puligny Montrachet, Montrachet, Santenay. Pero hay en la comuna regiones más pequeñas que producen sus vinos con personalidad propia, como Ladoix, Chorey-les-Beaune, Monthelie, entre otras, ejemplares por su refinamiento.

*Côte Chalonnaise*, es una prolongación de la Côte de Beaune. Sus viñedos Rully, Mercurey, Givry y Montagny, pertenecen a la categoría *appelation controlée*. Las cepas son, como en toda Borgoña, Chardonnay y Pinot Noir, para blancos y tintos respectivamente, pero también se cultiva otra variedad, la Aligoté, que tiene su propia designación: Bourgogne Aligoté, y la Gamay, que sirve para mezclar con otras y produce un vino de caracter propio, el Bourgogne pasee-tous-grains, nombre que indica precisamente la idea de mezcla de cepas.

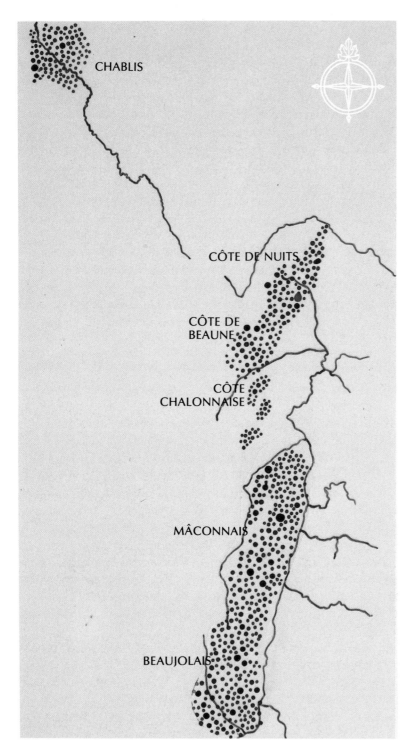

CHABLIS

CÔTE DE NUITS

CÔTE DE
BEAUNE

CÔTE
CHALONNAISE

MÂCONNAIS

BEAUJOLAIS

Mapa de
Borgoña, Francia

*Maconnais*, situado alrededor de la ciudad de Macon, es un viñedo que produce excelente vino blanco y buenos tintos y rosados, levemente afrutados. Los manuales sobre vinicultura y los enófilos resaltan sobre todo el Poully Fuissé, un blanco de cepa Chardonnay que ha dado celebridad a la región. Pero hay también otros, el Poully Vinzelles y el Poully-Loché, comparables por su finura al Fuissé.

*Beaujolais*, el viñedo más extenso de Borgoña (15 000 has) y el más meridional. La cepa Gamay negra, con zumo blanco, se da en el suelo pedregoso de la zona; produciendo un vino alegre, ligero, que se desliza suavemente por la garganta y deja desprender sus aromas con delicadeza. Esa característica permite que se sirva fresco, contraviniendo las reglas que por lo general rigen para los tintos. La juventud que lo caracteriza, junto con la frescura que puede admitir, explica que haya seducido a todo el mundo, especialmente el Beaujolais Noveau, que desgraciadamente sólo puede tomarse en Francia, pues no resiste los viajes largos. Nueve de los pueblos de Beaujolais utilizan sus propios nombres para sus vinos, que son los Grand Cru, con características propias cada uno de ellos, y son: Saint-Amour, Juliéans, Chénas, Moulin-a-Vent, Fleurie, Chiroubles, Morgon, Brouilly y Côte de Brouilly. Otras categorías son Beaujolais, Beaujolais superior y Beaujolais Villages.

## BURDEOS

Se afirma que los vinos de Borgoña despiertan la sensualidad. Como contraparte podríamos decir que los vinos de Burdeos excitan la sensibilidad, el sentido de la estética. Es tal el refinamiento de la producción bordalesa, que los expertos han terminado por admitirla como la mayor extensión de viñedos que produce vinos finos en el mundo. Las regiones vinícolas de Burdeos son: Médoc, Graves, Sauternais, Blayais, Bourgeais, Fronsac, Pomerol, Saint Emilion y Entre-deux-Mers. Las cepas bordalesas son la uva Cabernet (Franc y Suavignon), la Malbec y la Merlot para los tintos. La Sauvignon Blanc, la Semillon y la Muscadelle para los blancos.

*Médoc* produce vinos tintos, de gran fama por el carácter vigoroso que le confiere su aroma pronunciado. Ricos en tanino, son aptos para su añejamiento y notablemente armónicos porque sus cualidades están perfectamente equilibradas. A las zonas de Médoc y Haut-Médoc hay que sumarle otras muy reputadas, como Saint Estephe, Saint Julien, Pauillac, Margaux, Listrac, Moulis.

*Graves* produce vinos tintos y blancos. Los llamados Graves tintos proceden de las mismas variedades de uva que los tintos de Médoc: Cabernet Franc, Cabernet Sauvignon, Merlot, Petite Verdot y Malbec. Su más célebre vino tinto es el Chateau Haut-Brion. Cabe mencionar también otros igualmente famosos, como el Chateau Pape Clément, La Mission Haut-Brion y el Haut Bailly. Los Graves blancos, por su parte, son de variedades Semillon, Sauvignon Blanc y Muscadelle, tienen una pequeña, aunque delicada diferencia de sabor entre los secos y los dulces. Los más conocidos son: Chateau Carbonnieus, Chateau Olivier y Domaine de Chevalier.

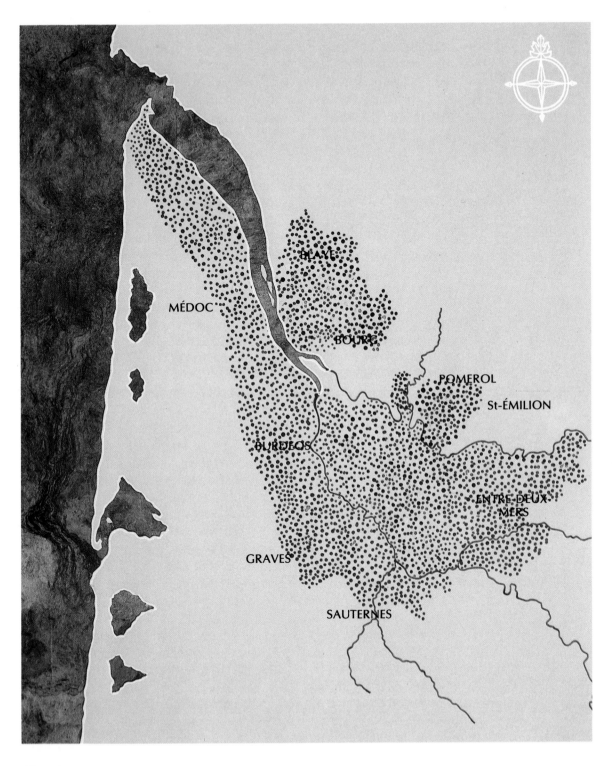

Mapa de
Burdeos, Francia

**167**

*Sauternes*. Junto al río Garona, en su margen izquierda, la región no puede sino producir vinos excepcionales por las características del terreno. El sílice (piedra y arena), la caliza y la arcilla parecen ser los elementos que favorecen tres cualidades muy aptas para el cultivo de la vid: finura, fuerza y untuosidad. La denominación de origen Sauternais, se aplica también a otras comunas como Bommes, Fargues y Barsac.

Unos pocos Chateaux de Sauternes están en condiciones de producir un vino excepcional, no sólo por su calidad, sino también por la forma en que se tiene que fabricar. La cosecha se hace grano a grano y en varias etapas. Este sistema escalonado permite obtener el máximo de beneficio de un hongo llamado *Botytis cinerea*, que se aloja en el hollejo de la uva produciendo lo que se conoce como podredumbre noble (pourriture noble). El resultado es un vino intenso en gusto y esencia, de un cuerpo suave, espeso, de apariencia casi aceitosa. La producción de este vino es baja; por ejemplo, el viñedo considerado como el más famoso Château D'Yquem, sólo tiene 214 has, y fabrica 64 hectolitros (82 500 botellas) por año.

*Blayais* y *Bourgeais*, viñedos que toman su nombre de dos pequeños distritos, Blaye y Bourg, exportaban vinos aun antes que los hiciera Médoc. La especialidad de Blaye es un vino blanco seco, con la denominación de origen *Côtes de Blaye*. También produce vinos tintos, los "premieres Côte de Blaye" o simplemente Blaye. El distrito de Bourg, más pequeño, ofrece principalmente tintos, de cepas Cabernet y Merlot, muy agradables al paladar.

*Fronsac*. Sobre la orilla derecha del Dordogne se encuentra el viñedo de Fronsac que tiene su pequeña historia: Carlomagno construyó un castillo en su cerro principal. Más tarde, el duque de Richelieu, sobrino del célebre ministro de Luis XIII, introdujo sus vinos en la corte. El vino de Fronsac es ligeramente afrutado, con mucho carácter y de un precio no muy alto.

*Pomerol*. Junto a la ciudad de Libourne. Pomerol es uno de los viñedos más antiguos de Burdeos. La historia de la calidad Pomerol comienza a finales del siglo pasado, o cuanto más a principios de este siglo. Existe un consenso entre los conocedores, de que los vinos Pomerol son los claretes más suaves, ricos y atrayentes. Tienen un color intenso, sin la acidez tánica que a menudo acompaña a esta característica, una fragancia reconfortante y madura. Entre las marcas de mejor calidad se destaca el Chateau Petrus, pero existe una variada red de nombres. Aquí la cepa principal es Merlot, que se combina con Cabernet, pero a veces se agrega otra variedad, prima de la Cabernet, llamada Bouchet.

*Saint Emilion*. Una de las postas del antiguo camino de Santiago de Compostela, a pocos kilómetros de Libourne y en la margen derecha de Dordogne, es considerada la "gema rural de los bordeleses". Sus vinos son de carácter bien marcado, ricos en alcohol y tanino, de buen color y de un sabor que llena la boca, dejando un ligero aroma a frutas. Las cepas son todas nobles: Cabernet, Franc y Sauvignon, Bouchet, Merlot y Malbec. Sus vinos más famosos son el Château Ausone y el Château Cheval Blanc. Ocho comunas responden a la denominación: Saint Emilion, Saint Laurent-des-Combes, Saint-Christophe-des-Bardes, Saint Hippolyte, Saint-Etienne de Lisse, Saint-Sulpice-de-Faleyrens, Vigninet y Saïnt Pey d'Armens.

*Entre-deux-Mers* (que se encuentra entre dos mares), se sitúa entre la margen derecha del Garona y la izquierda del Dordogne, en una región que antiguamente estaba cubierta de bosques. Los romanos la talaron y comenzaron a sembrar vid, tiempo después, los bosques volvieron a crecer, hasta que en 1 090 los monjes fundadores de la Abadía de Saint Girard la volvieron a cubrir de viñedos. La denominación de origen Entre-deux-Mers designa vinos blancos producidos por cepas Sauvignon Blanc, Semillon, Muscadelle y Merlot. Es un vino fresco, afrutado, con mucho nervio. Se bebe muy bien con platillos a base de pescado y sobre todo, con ostras. "Entre-dos-ostras, Entre-deux-Mers" es un refrán muy conocido en Burdeos.

Detalle de un
vaso de la
Grecia antigua

# CHAMPAGNE

El nombre de Champagne no se limita solamente a una zona definida, como la denominación de Burdeos, sino también a un proceso por el que debe pasar cada gota de vino antes de poder hacerse acreedor a dicho nombre. Algunos otros países emplean de hecho el nombre, como si éste designase solamente tal proceso, pero son las virtudes especiales de esta gran región vinícola del norte de Francia la que dan al champagne su carácter único. Esta región "tocada por la gracia", cuyo suelo y clima tienen tanto que ofrecer, se halla tan sólo a 150 kilómetros de París. Se encuentra en el centro de un pequeño conjunto de colinas, sobre un suelo de yeso, y dividida en dos por el río Marne. Dentro de esta zona y a diferencia de, por ejemplo, la Borgoña, los nombres de los pueblos no interesan al consumidor, porque la esencia del champagne es que se trata de un vino mezclado, conocido y acreditado por el nombre de quien lo elabora, no por el viñedo.

Se ha comprobado que, desde los tiempos más remotos, siglos antes de nuestra era, ya se cultivaban viñas en esta zona. Los arqueólogos han podido determinarlo por la presencia de hojas fósiles de vid. Pero fue hasta el siglo XVII cuando el champagne alcanzó el máximo de su popularidad. La historia nos dice que los brindis por la coronación de Luis XIII, en 1610, sólo fueron con champagne. Luis XIV, no tomaba otro vino hasta 1692, en que, por razones de salud le fue prohibida toda bebida alcohólica.

En 1670 Dom Perignon, asumió el cargo de director de las bodegas de la Abadía de Hautvillier, de monjes benedictinos. El religioso ha pasado a la historia como el inventor del actual champagne y se le recuerda por su espíritu abierto, su sensibilidad y, sobre todo, porque había perdido el sentido de la vista y así logró descubrir, a partir de sus experimentos, la elaboración del Champagne: la doble fermentación, el análisis del contenido de azúcar en el mosto y su importancia en la producción de burbujas, la mezcla de variedades de uvas y de vinos de diferentes edades y su combinación en fórmulas perfectas que podía reproducirse a voluntad y sin que se alterara la calidad del vino. Una leyenda cuenta que cuando llegó a producir su mejor champagne, abrazó a sus compañeros religiosos y les dijo emocionado: ¡pronto!, ¡vengan!, ¡estoy bebiendo estrellas!

Hablaremos de las tres partes distintas que componen la región. Las características del vino producido en cada una de ellas son parte esencial de la mezcla clásica del champagne.

Reims está plantada con cepas Pinot Noir, cuyas uvas negras han de ser prensadas rápidamente para que puedan dar un vino blanco, sin trazas de color. Nadie ha podido explicarse todavía como una zona de viñedos tan al norte, como la montaña de Reims, puede dar buenos vinos. La teoría es la de que el aire se calienta en el valle y va ascendiendo, estimulante, entre los viñedos. Los vinos de esta zona contribuyen al *bouquet*, a la robustez y a la base de la mezcla.

La zona baja, *la del valle del Marne*, cuenta con vertientes orientadas al sur y al sudeste, que captan el sol y producen los vinos con más cuerpo, más rotundos, maduros y pletóricos de aroma. También aquí se trata de viñedos de uvas tintas, donde la cepa Pinot Meunier se une con la Pinot Noir. La aldea de Bouzy elabora una pequeña cantidad de vino tinto que los champañeses reservan celosamente para su propio consumo. Se parece a un flojo vino de Borgoña.

La vertiente orientada al este y situada al sur de Epernay, constituye la Côte de Blancs, plantada con cepas Chardonnay, que confieren a la mezcla el frescor y la fineza. El vino de esta zona a veces es vendido bajo la denominación *Blanc de Blancs* sin la tradicional proporción de vino de uvas tintas. Es una mera cuestión de gustos, pero los aficionados al champagne, lo encuentran falto de equilibrio y demasiado ligero.

Mapa de Champagne, Francia

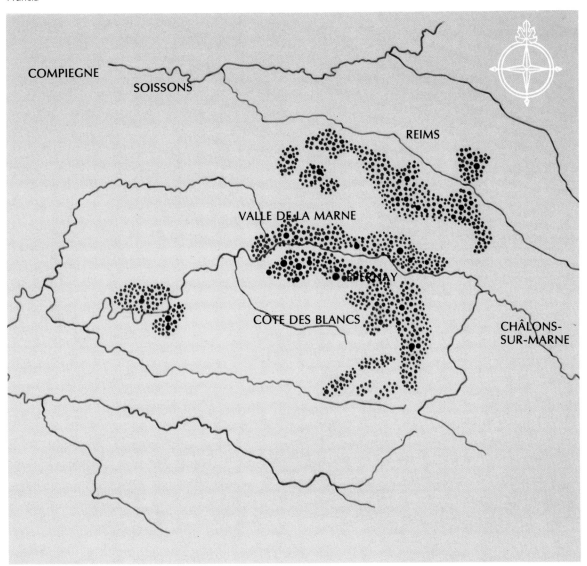

## ALSACIA

Alsacia hace vino alemán "a la francesa". La diferencia está dada por los distintos puntos de vista que sostienen los cosecheros alemanes y los alsacianos, con respecto a lo que sus vinos han de ser, ya que el clima, suelo y variedades de cepa son los mismos en Alsacia que en el Rhin. La diferencia podemos resumirla diciendo que los alemanes buscan dulzura y los alsacianos vigor. Cuando el vino alemán es bueno, no debe ser destinado a la mesa, sino al salón o al jardín. El vino de Alsacia, por el contrario, es el gran complemento de una de las cocinas más espléndidas de Francia. Alsacia da a las aromáticas uvas alemanas el cuerpo y autoridad de vinos de la categoría de los borgoñas blancos, complemento adecuado de platos fuertes y sabrosos.

En vez de que el azúcar de la uva permanezca delicadamente presente en el vino, el vinicultor prefiere un sabor seco, firme y limpio. Hace fermentar cada grano de azúcar, que le proporciona los largos y secos veranos alsacianos, y concentra las esencias de sus perfumadísimas uvas.

Alsacia, como Champagne, constituyen una excepción a la costumbre francesa de estructurar complicadamente las denominaciones de origen. El comercio se basa en la reputación de las firmas negociantes, en su mayoría también viticultoras, aunque pueden adquirir vinos para sus mezclas en cualquier parte de la región. En lugar de comercializar los nombres de las localidades, lo hacen con los de las uvas. Alsacia es la única región de Francia en la que se puede pedir una botella de Riesling o una Sylvaner en vez de especificar el nombre de un viñedo o pueblo.

Las cepas que dan su nombre y especiales cualidades a los vinos de Alsacia, son la Riesling, responsable en esta región y en Alemania de los mejores vinos, la Sylvaner, Muscat y Pinot Gris o Tokay de Alsacia y por último, las extraordinarias y fragantes Traminer o Gewurztraminer. Nadie creería que un aroma tan afrutado pudiese proceder de un vino tan limpio y seco. (*Gewurz*, en alemán, significa especia, permaneciendo en el paladar dos o tres minutos después de bebido el vino).

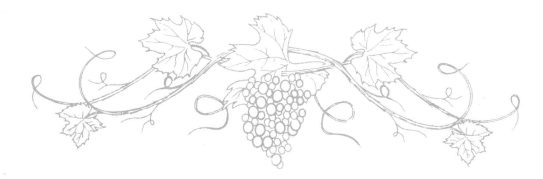

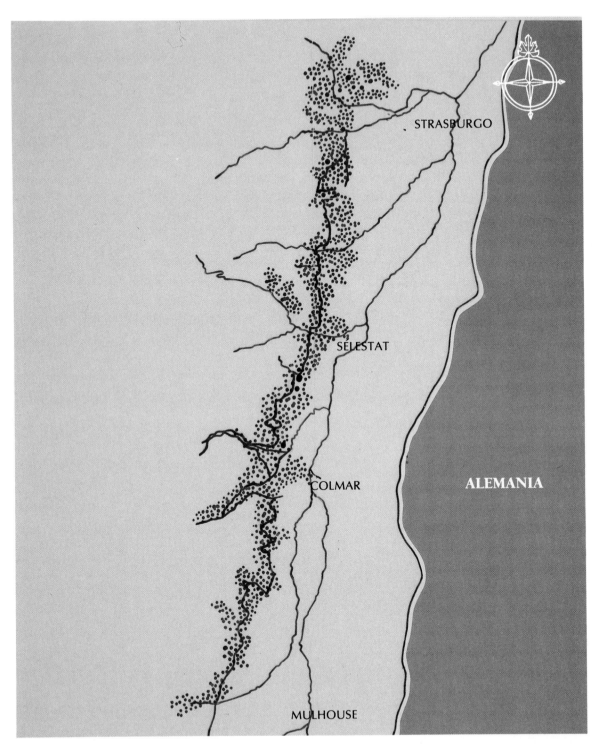

STRASBURGO

SELESTAT

COLMAR

ALEMANIA

MULHOUSE

Mapa de
Alsacia, Francia

173

## VALLE DEL LOIRE

Vinos ligeros y apetitosos, en su mayoría son blancos. Se dividen netamente en los vinos secos del este (Sancerre y Pouilly) y del oeste (Muscadet), y los más dulces son de Touraine y de Anjou en el centro. Parte de los vinos de Tourraine son tintos, y los mejores casi rivalizan con el Beaujolais. Gran parte del vino de Anjou es rosado y puede enfrentarse con el de cualquier otra procedencia. Una cosa une a los vinos blancos de Anjou y Tourraine con los de Alemania: cuanto mejores, más dulces.

En su apogeo son vinos de postre de textura aterciopelada, ricos en glicerina, de aroma intenso, pero al mismo tiempo fresco y con sabor a uva, melocotón, albaricoque y avellana, pero con un ligero sabor a pedernal que le impide ser empalagoso. La cepa que nos ofrece todo esto es la Chenin Blanc, localmente llamada Pineau de la Loire. En Bourgeil y Chinon existe la cepa Cabernet Franc, que crece en un suelo de grava junto al río y produce un vino con el frescor y toque afrutado del Beaujolais de calidad. Los vinos de Poully y Sancerre, en el alto Loira, son tal vez los de más fácil identificación en Francia. En estas colinas yesosas, cortadas por el río, la uva Sauvignon Blanc da al vino un olor que recuerda al del pedernal; este vino es ligeramente ahumado, verde y especiado.

Mapa del valle
del Loire

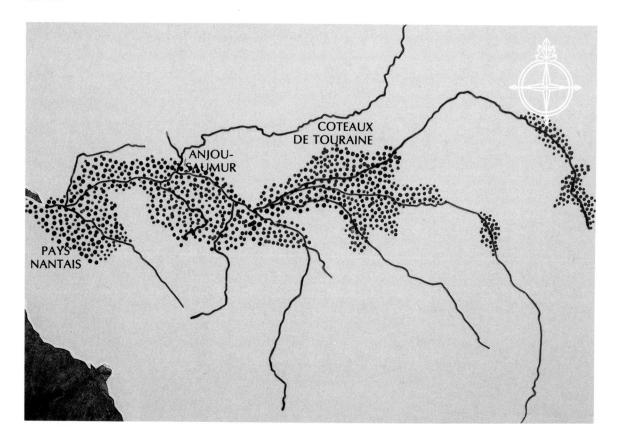

Barricas con vino

Fumigación en el
valle del Loire

## VALLE DEL RÓDANO

El valle de Loira y el valle del Ródano son dos caras de la misma moneda, pues el Loira es lo mejor de la viticultura del norte y el Ródano lo es del sur de Francia. En su mayor parte, el vino del Loira es blanco y el del Ródano tinto. Ambos presentan una variedad muy amplia de tipos de vino.

Los tintos del Ródano van desde un color negruzco y un sabor amargo, a un tipo de vino redondo y cálido, y desde un olor intenso a una gran suavidad y profundidad de aroma. Los vinos del Ródano no suelen elaborarse a partir de una sola variedad de cepa, como el Borgoña, sino de un *coupaje* (mezcla), pudiendo oscilar el número de cepas empleadas entre dos y trece. Es práctica común añadir un poco de una variedad blanca al vino muy oscuro de Syrah, la uva clásica del Côte Rotie y del Hermitage. El Château-neuf-du-Pape, como el Chianti italiano, se elabora a partir de una gran diversidad de cepas, tanto blancas como tintas.

Los viñedos alrededor del río Ródano se dividen naturalmente en dos grupos: norte y sur. La denominación Côte du Rhône es general para todo el vino, ya sea blanco, rosado o tinto. En la actualidad los grandes vinos del Ródano, como el Hermitage (considerado alguna vez entre los mejores vinos del mundo), son una verdadera ganga en comparación con algunas cosechas de Burdeos y Borgoña.

El Hermitage posee casi las mismas cualidades del Oporto, pero sin aguardiente. Al igual que el Oporto, deja un residuo denso en la botella (hay que decantarlo) y mejora con el paso de los años hasta adquirir un aroma y un sabor irresistibles. El Château-neuf-du-Pape, es un vino tinto muy oscuro, goza de la distinción no sólo de tener la graduación más alta autorizada de toda Francia (12.5% de alcohol), sino también de haber sido el primero al que se aplicó el sistema de las denominaciones controladas. Este vino procede de la mayor concentración de viñedos del Ródano, los de las colinas que rodean al palacio de verano de los Papas en el corazón del valle y es uno de los vinos más conocidos en el mundo, produciéndose en la zona más de cuatro millones y medio de litros de vino al año, de una calidad media bastante aceptable. Su cepa base es la Greanache, lo que le permite madurar más rápido y poderse beber en cuatro o cinco años.

Quedan algunas otras zonas de menor importancia, que sólo citaremos, aunque también pueden producir vinos que representan dignamente a Francia, como son la Jura, tierra natal de Pasteur y donde nació la vinicultura moderna; Saboya, La Provence, Languedoc y el Rosellon completan el mapa vinícola del país.

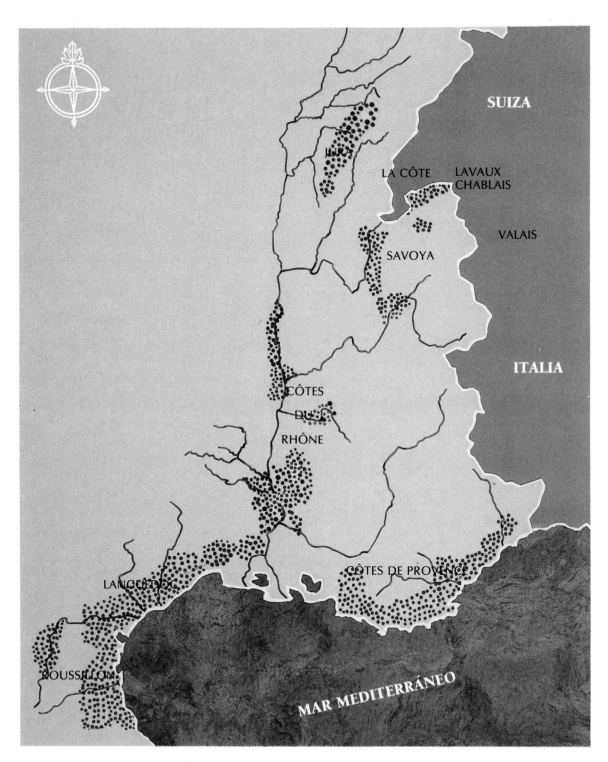

SUIZA

JURA

LA CÔTE    LAVAUX
           CHABLAIS

SAVOYA     VALAIS

ITALIA

CÔTES
DU
RHÔNE

CÔTES DE PROVENCE

LANGUEDOC

ROUSSILLON

MAR MEDITERRÁNEO

Mapa del valle
del Ródano

**177**

# ITALIA

Desde el principio de su historia hay múltiples menciones de que el vino acompaña todo tipo de celebraciones. Los griegos llamaron a Italia *Oenotria*, la tierra del vino, y el mapa nos recuerda que poco terreno hay en Italia que no sea vinícola. Su producción anual es hoy, holgadamente, la mayor del mundo, pero hasta 1963 fue cuando se creó una legislación específica similar a la de *Apellation d'origine controlée* de los franceses, pues hasta entonces, en Italia, sólo había nombres de vinos que correspondían, en el mejor de los casos, a las cepas, a los pueblos en que se situaban los viñedos o a los productores.

Ahora, en las más importantes regiones vinícolas existe la DOGC, *Denominazione di Origine Controllata e Garantita*, que es el grado máximo, y sólo se otorga a los vinos de ciertos productores, más que a regiones enteras. La DOC *Denominazione d'Origine Controllata* para vinos de determinada región que alcanzan ciertas normas de calidad y por último, la DS *Denominazione Semplice*, equivalente a la *Tafelwein* alemana. Para presentar la geografía de los vinos italianos suele dividirse el país en tres grandes regiones: septentrional, central y meridional.

## ITALIA SEPTENTRIONAL

En el noroeste, el Piamonte deslumbra por sus vinos; ahí existen viñedos cuya producción es pequeña, sus vinos poco conocidos en el mercado masivo, pero muy celebrados por los conocedores. En el valle de Aosta hay tintos Nebbiolo, Donnaz y Carema excelentes. Entre Novara y Lago Maggiore la misma cepa Nebbiolo (neblina, también llamada Spanna en otras regiones) produce un vino suave, atractivo, que se presenta bajo nombres muy diversos, como Boca, Fara, Gattinara, Ghemme, Sizzano.

Cabe mencionar los vinos de la Liguria, los de la costa norte de la Spezzia (el Cinqueterre, entre otros); el Polcevera, y el Coronata, blancos, de Génova, de cepa Vermentino, o el Dolce Acqua y el Rossese, tintos, de la Riviera italiana. Vinos lombardos como el Oltrepo Pavese, el Brescia, el Valtellina o el Frecciarossa y muchos más.

Piamonte, rodeada por los alpes, es una región de colinas muy cálidas en verano y melancólicamente brumosas en el otoño; en sus viñedos se producen los mejores vinos italianos. Los dos tintos principales, Barolo y Barbaresco, llevan el nombre de sus pueblos de origen; los demás se llaman como sus cepas: Barbera, Dolcetto, Freisa Grignolino.

Al hablar del Barolo, muchos conocedores suelen compararlo con el Chateauneuf-du-Pape francés, por su calidad, pero ese criterio significa negar o menospreciar la particularidad de este gran vino italiano, inolvidable por sus propios méritos. Este vino presenta una característica original: en cada botella, se crea un depósito o sedimento, aun cuando haya permanecido hasta tres años o más en barricas. Este detalle obliga a mantener las botellas de Barolo en posición vertical unos días antes

Zonas
vitivinícolas de
Italia

de beberlo, para poder decantarlo después más fácilmente. Es un vino rico en alcohol, potente, de un hermoso color rojo oscuro. Las uvas Nebbiolo le dan un sabor afrutado, con un lejano matiz de frambuesas. El Barbaresco, tiene un toque menos frutal y se caracteriza por ser más seco y áspero. El Barbera es un tinto excelente por su correspondencia perfecta con la comida italiana del norte, de buen color rojo, a veces ligeramente espumoso, se parece al Freisa del Sur de Turín, aunque éste suele ser un poco más dulce y más liviano. Y finalmente, el Dolcetto y el Grignolino, que se beben jóvenes, tienen carácter y se aprecian por su ligereza.

El Piamonte es también cuna del famoso Moscato Asti Spumante compañero de fiestas y celebraciones.

Otras regiones y otros vinos del norte de Verona son el Valpolicella, el Soave y el Bardolino; los vinos de la costa del Lago Guarda; los del Alto Adige; los lombardos de Valtellina (Sassella, Grumello e Inferno). Todos ellos son del norte; tal vez sean menos esplendorosos que los piamonteses, pero tienen sus propias virtudes. Los del Alto Adige, por ejemplo, en sus tipos tintos y blanco, con cepas locales (Traminer o Termeno) y tienen Denominación de Origen (DOC). Los tintos son suaves y bien equilibrados y tienen un delicioso toque amargo. Verona produce uno de los blancos más conocidos fuera de Italia, el Soave, que se presenta como Soave propiamente dicho como Classico. También el Valpolicella, con su color ajerezado, su aroma dulzón y su delicado sabor. Los vinos veroneses se beben muy jóvenes. Suelen madurarse desde el comienzo en recipientes de vidrio y no en barricas de madera, precisamente para que no envejezcan.


## ITALIA CENTRAL

Montecarlo, Umbria de Orvieto, Latium de Frescati, Verdicchio y de Marche son los vinos blancos más importantes del centro de Italia. Entre todos los vinos de esta región sobresale un vino tinto que ha sido calificado como "el vino central de Italia". El chianti, cuyo nombre procede del lugar donde se produce, una pequeña región en el corazón de Toscana, entre Siena y Florencia. En 1967 se delimitó legalmente y con exactitud la zona que merece, con exclusividad, esa denominación de origen: chianti classico para toda la zona central, donde se produce el mejor chianti y otras seis subzonas que llevan los nombres de sus respectivas comunas. Penetrante por su sabor y perfume, el chianti se vuelve más delicado al envejecer.

Para la vinificación del chianti se utiliza un método especial, el llamado "Il governo" que le da su carácter particular y que consiste en la adición de un poco de mosto sin fermentar, de uvas pasas (una pequeña parte de la cosecha no se prensa, sino que se deja secar sobre lechos de paja o en los mismos viñedos). Incorporado ese mosto al de chianti, se prosigue la fermentación hasta su término. El vino se elabora con cuatro variedades de uva que se mezclan en una proporción que hace cien años se estableció por el barón Ricasoli, cuyos descendientes aún viven en su castillo de Brolio. El mejor chianti se deja envejecer más tiempo en barricas de

Modelo de una
antigua prensa
italiana

roble, antes de embotellarlo, y se distingue por su presentación en botellas tipo Burdeos, en vez del *fiaschi* (frasco) con canastilla de paja, que es la más común.

## ITALIA MERIDIONAL

Uno de los primeros vinos del sur que tuvo denominación de origen, fue el Ischia. Otros nombres importantes son los Capri blancos y el Lacrima Christi (tinto y blanco).

Vinos de Calabria son los Ciró, Donnici, Savuto y Pollino, y de Puglia, tintos y blancos, que se llevan muy bien con la comida especiosa y aromática del sur. El Moscato y el Aleatico de la misma región, vinos de postre, han tenido mucho ascendiente en América del Sur, donde los llevaron inmigrantes italianos en el siglo XIX. Sicilia se hizo famosa con el Marsala, oscuro y sugestivo pariente del jerez dulce, se dice que es capaz de dar fuerza a un ejército (cuentan que Nelson alentaba a sus tropas con él).

Otros vinos importantes son los Moscatos de Noto y Siracusa, así como Los Malvasías de la pequeña isla de Malvasía de Lipari.

# ESPAÑA

La producción de vinos españoles es amplia y variada; cada región cuenta con vinos de particular sello y definida personalidad. España se distingue por tener uno de los viñedos más extensos del mundo y de las más variadas cepas. No hay provincia que no tenga su vino particular, definido, con personalidad propia. Dentro de esa variedad, sin embargo, es posible señalar con precisión las principales regiones productoras de vino, como son: Rioja, Navarra, la provincia de Zaragoza, el litoral de Cataluña, que llega hasta Alicante. La Mancha, casi en el centro del país, Málaga y Jerez de la Frontera, en el sur.

Fuera de la Península, hay que citar las Islas Baleares y Canarias. Cabe mencionar, también la pequeña zona de Valladolid, en las márgenes del río Duero, notable por ser la cuna del extraordinario Vega Sicilia y de sus primos hermanos, los Valbuena de Duero, que si bien no alcanzan la excelsitud del primero, son muy buenos vinos.

Hasta 1970 se delimitaron en la mayor parte de España las zonas, la calidad y el origen, creándose el Instituto Nacional de Denominaciones de Origen, aunque similar a la Denominación Controlada de Italia, mucho menos estricta y de significado más amplio.

Vista general de una bodega de añejamiento

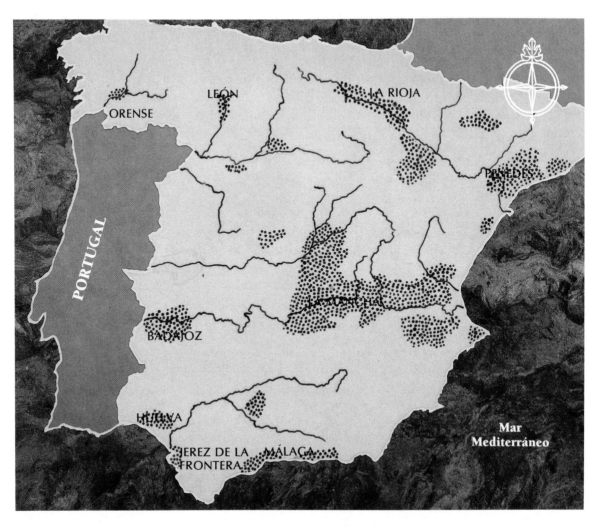

Zonas
vitivinícolas de
España

## RIOJA

Se divide en tres zonas, de acuerdo con el terreno y la altitud. Las áreas de la parte alta del Ebro, forman la Rioja Alta y la Rioja Alavesa (provincia de Alava) y son más frías y húmedas, la Rioja alta produce los vinos más ligeros y mejores. La Alavesa tiene tintos más robustos, también excelentes. La Rioja Baja (provincia de Logroño) disfruta de un clima más mediterráneo, sus vinos son más alcohólicos y sólo se emplean para las mezclas más baratas de Rioja o por sí solos, como vino corriente. Haro y Logroño son los principales centros vinícolas de la Rioja.

Distintos aromas, distintos sabores y diferentes graduaciones alcohólicas se producen en los vinos riojanos por la gran variedad de cepas empleadas para su elaboración: Calagrano (conocida también como Cagazal, Jaina y Jaén), Garnacha o Graciano (Grenache del Ródano), Maturana blanca y Maturana tinta, Mazuelo o Mazuela, Miguel del Arco o Miguelete, llamada también Arcos, Monastrel (Monastel, Moraster, Moristel, Ministrel), Moscatel, Tempranillo (también conocida como tinta de Rioja o Grenache de Logroño, Turrentes, Viura (llamada también Macabeo, Alcañón, Alcañol).

Todos son vinos de constitución equilibrada, que dejan en el paladar una grata sensación de frescura y suave aroma de vainilla, dado por el roble, ya que estos vinos tienden a elaborarse como los Burdeos del siglo pasado, envejeciéndolos varios años en barricas de roble (dos o tres para el vino ordinario y hasta 10 para los Reservas). Su larga permanencia en contacto con el roble les da una calidad ligera y suave, pero mata su afrutado, característica que los distingue de los vinos modernos, embotellados antes de que puedan desarrolar su *bouquet* en la botella, todavía con gran parte de su afrutado. Incluso a los Riojas blancos se les dan cuatro o cinco años en barril; cuando llegan a ser dorados pierden su aroma frutal y son un tanto llanos a causa de la oxidación y se les considera en su apogeo.

Las añadas se tratan un poco a la ligera. Si se menciona una añada, es por su calidad, aunque no existe ninguna garantía de que todo el vino de la botella se elaborare aquel año. Entre los blancos, conviene buscar los más jóvenes, de los tintos, los que tengan diez años o más.

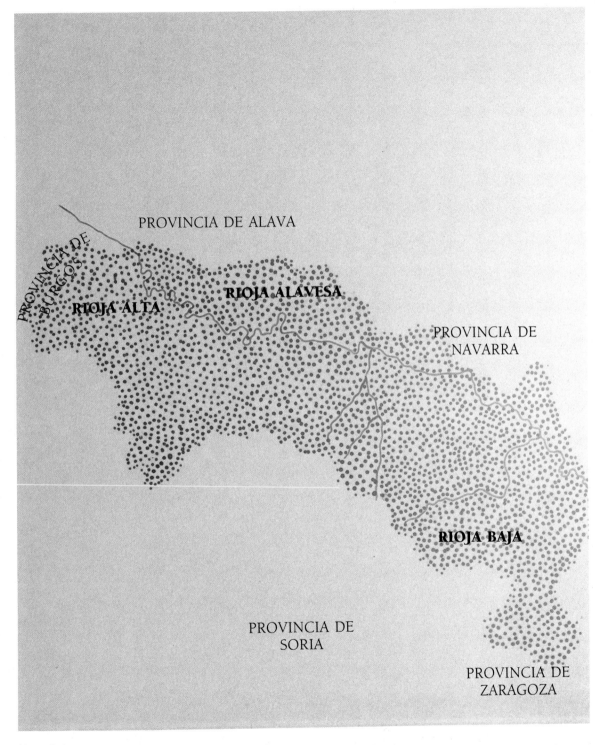

PROVINCIA DE ALAVA

PROVINCIA DE BURGOS

RIOJA ALTA

RIOJA ALAVESA

PROVINCIA DE NAVARRA

RIOJA BAJA

PROVINCIA DE SORIA

PROVINCIA DE ZARAGOZA

Mapa de la
Rioja, España

## NAVARRA

De cepas Tempranillo, Garnacha tinta, Mazuela y Cariñena para los tintos, y de Viura y Malvasia para los blancos, los vinos de Navarra tienen un gran carácter y corpulencia. Aunque esta zona productora es menor, algunos vinos navarros (Señorío de Sarria) están a la altura de los mejores riojanos.

Los viñedos de Navarra se encuentran en los valles de los ríos Aragón, Arga y Alhama, a partir de Pamplona, desde la ribera del Ebro. Miguel A. Torres, en su libro *Viñas y vinos* escribe: "Los vinos de Navarra, rosados, claretes y tintos, son inconfundibles y cuando están correctamente elaborados y criados pueden ser auténticos grandes vinos".

## CATALUÑA

Desde Alella, en Barcelona, hasta Tarragona por toda la costa catalana del Mediterráneo, los viñedos catalanes se extienden por terrenos arenosos, expuestos simultáneamente a la brisa del mar y a la bruma que baja de la montaña, que combinada con el sol catalán dan a las cepas su vigor y caraterísticas especiales. Aunque tradicionalmente se piensa que la vid fue introducida en Cataluña por los griegos o los fenicios, se cree que fueron los romanos, a través de las regiones próximas al Mediterráneo que invadieron sus legiones, los que sembraron la vid en Cataluña. En Alella, los vidueños más importantes son el Pausa Blanca, Picamoll, Malvasia y Garnacha blanca y rosada, para la elaboración de vinos blancos; Tempranillo, Sumoll y Garnacha negra para los tintos. La zona del Penedés o Panadés es la más famosa por sus vinos, sobre todo por su vino espumoso blanco que se logra mediante un procedimiento similar al del champagne, existiendo en San Sadurni de Noya las cavas y bodegas más grandes del mundo para este tipo de vino (bodegas de Codorniu). Las uvas que se emplean para los espumosos catalanes son de las cepas Macabeo, Xarel-lo y Montonec de uva blanca, así como Monastrel de hollejo negro, zumo y pulpa blancos.

Otros vinos blancos de la costa tienen renombre internacional, como el Viña Sol de las Bodegas Torres, que a diferencia del resto de los blancos españoles, es embotellado poco después de su fermentación, sin pasar por cubas de madera, para que así conserve toda la delicadeza de su afrutado. En cuanto a los tintos, los Gran Coronas etiqueta blanca y negra y, el Sangre de Toro, de las mismas bodegas, son considerados como de primera línea en toda la producción española, quedando el etiqueta negra, como un vino de calidad excepcional. Estos vinos rojos de Torres son elaborados en tinas de acero inoxidable, lo que no sucede en otras partes de España, en donde, en general, antiguas tinas de cemento continúan siendo utilizadas para fermentación de los mostos. Otro detalle de estos vinos es su crianza en madera que se limita a 18 a 20 meses máximo, lo que les permite conservar su frescura y sabor afrutado.

Tarragona, por su parte, es cuna de vinos dulces de postre, que tienen "Denominación de Origen Tarragona Clásico", con una graduación alcohólica alta, que

Bota para vino,
labrada a mano

oscila entre los 13° y 23°. Los Tarragona Campo, son vinos tintos y blancos que tienen entre 10° y 14° de alcohol. Los dulces, muy apreciados en Inglaterra, tienen un
color dorado oscuro y a veces un rojo intenso. Los vinos del Priorato, muy antiguos
(su nombre proviene de los priores que cultivaban la viña alrededor de los monasterios medievales), salen de una pequeña región en Tarragona, al sur de la sierra de
la Moleta y Montsant. Tienen alta graduación alcohólica (entre 18° y 20°) y gozan de
Denominación de Origen; su calidad más alta se obtiene de la cepa Garnacha negra,
pero no son desdeñables los de Mazuela, Cariñena, Macabeo o Pedro Ximénez. Los
tintos un color rojo intenso y los blancos son dorados. Por ser tan fuertes se les suele beber como aperitivo o, cuando son dulces, como vinos de postre.

## JEREZ DE LA FRONTERA

Así como el champagne es sinónimo del refinamiento y la sofistificación francesa, el vino de Jerez representa el alma de España, el sonido de la guitarra, los tacones flamencos, el cante jondo, las juergas que convierten la noche en día. No hay enófilo conocedor que no establezca una comparación entre el champagne y el jerez: ambos son los aperitivos más refinados y más apreciados por los conocedores; ambos provienen de cepas blancas y de tierras también blancas, ricas en cal y yeso; ambos tienen similar distinción y ambos, finalmente, requieren de un tratamiento largo y complicado para dar de sí sus mejores cualidades.

El país del jerez está localizado entre las ciudades gitanas de Cádiz y Sevilla. La ciudad de Jerez de la Frontera resuma jerez desde comienzos de la era cristiana, y aun desde antes si se atiende a la arqueología más minuciosa. Los árabes llamaron Scharisch a este vino, de donde derivó el vocablo inglés *Sherry*. La historia de la vinicultura jerezana tiene un comienzo misterioso y sólo se puede hablar de una constitución real a partir del siglo XI. Para el siglo XVI ya existía una exportación considerable de jerez a Gran Bretaña, aunque Francia también era un cliente importante.

Los vinos que tienen derecho a la Denominación de Origen Jerez, Xeres o Sherry, se producen en Jerez, San Lúcar de Barrameda y Puerto de Santa María, tres ciudades con costa atlántica y encerradas por los ríos Guadalquivir y Guadalete. Las tres categorías con que se clasifica al jerez comienzan con el Fino; los finos son los mejores jereces, los más equilibrados por sus mezclas, capaces de envejecer con hidalguía o dejarse beber jóvenes, sin complejos. Su personalidad es seca, punzante, con aroma y paladar, y en gran parte se debe a una forma inusual de levadura, la flor, que se forma en su superficie. Catados directamente desde la cuba, cuando el capataz de la bodega sumerge su larga venencia a través de la flor y saca una muestra del pálido vino, tienen el frescor y la vitalidad del pan recién hecho, y son, sin duda alguna, los mejores vinos de España.

La segunda categoría, los Amontillados, podrían definirse como "viejos finos", ambarinos, y muy secos, con un ligero aroma de avellana y con una alta graduación alcohólica (entre 16° y 18°), sólo pueden ser catados en toda su individualidad a partir de la solera, pues no tuvieron el frescor suficiente para ser catados jóvenes.

La tercera clase es la de los olorosos. Son vinos que tienen grandes posibilidades de añejamiento, pero que al principio parecen un tanto pesados. Constituyen la base para el mejor jerez dulce, a menudo conocido como *cream* y son vinos más oscuros que los vinos finos, con más cuerpo, densidad y graduación alcohólica. Las cepas utilizadas para los vinos de jerez son las Palomino y Pedro Ximénez blancas. En menor proporción, la Albillo y la Moscatel Romana.

La manzanilla, es un tipo de jerez de los vinos finos que se produce en San Lúcar de Barrameda, muy pálido, aromático, de paladar seco, con un leve dejo de amargor salado, que se considera procedente del mar. Muchos consideran la manzanilla como el vino ideal para acompañar mariscos.

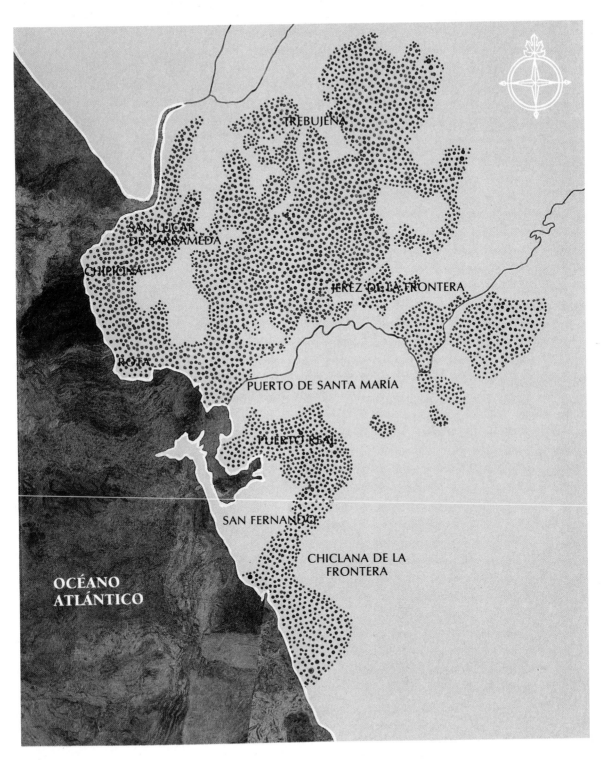

TREBUJENA

SAN LÚCAR
DE BARRAMEDA

CHIPIONA

JEREZ DE LA FRONTERA

ROTA

PUERTO DE SANTA MARÍA

PUERTO REAL

SAN FERNANDO

CHICLANA DE LA
FRONTERA

OCÉANO
ATLÁNTICO

Mapa de Jerez
de la Frontera,
España

Montilla y Moriles. Son vinos que figuran en las nóminas más importantes del mundo. Las Denominaciones surgieron de una región comprendida entre Montilla, los Moriles, Aguilar de la Frontera, Lucerna, Cabra, Doña Mencía, Puente Genil y Córdoba, al sur de la provincia de Córdoba. La principal atracción de ambos es su buena crianza, su color oro verdoso, muy delicado, y su fuerza natural, característica muy apreciada que les permite viajar sin deterioro.

Sus tipos tradicionales son muy parecidos a los del vino jerez (se dice que el jerez tiene una sombra en Montilla) y se conocen como: Finos, Finos Viejos o Amontillados, Olorosos y Olorosos Viejos. El fino tiene una graducación de 16º, aproximadamente; el Fino Viejo o Amontillado alcanza los 17º; el Oloroso entre 18º y 19º y el Oloroso Viejo entre 19º y 21º. Su olor embalsama la boca y en el paladar deja un sutil sabor a almendras.

El vidueño de estos vinos es el Pedro Ximénez, que en Jerez se reserva para los vinos más dulces. Pero el clima de Montilla, todavía más caluroso que el de Jerez, le confiere a las uvas un contenido todavía más alto de azúcar que fermenta con rapidez en unas tinajas de barro abiertas, que recuerdan las ánforas utilizadas en el mundo antiguo. Los Montillas pasan como aperitivos engañosamente perfectos, ya que se beben como vinos de mesa a pesar de su elevada graduación.

También en el sur hay que mencionar a Málaga, provincia que elabora vino dese hace siglos y que se ha hecho acreedora de una Denominación de Origen por sus tipos clásicos, dulces y semidulces. Aparte de los Málaga más tradicionales, hay otro tipo, conocido como *Lacrima Christi*, tal vez pariente por su carácter, del italiano del mismo nombre. Las cepas Pedro Ximénez, Moscatel y en menor medida Jaen y Lairen son las responsables de estos vinos.


## VINOS DEL CENTRO

En las llanuras de La Mancha, al sudeste de Madrid, el pueblo de Valdepeñas produce un vino del mismo nombre, con Denominación de Origen Propia, dentro de una denominación global, La Mancha. De cepa Cencibel, de color rubí, el vino se bebe fácilmente, a pesar de su fuerza (13º). Para su fermentación se utilizan tinajas de barro, semejantes a las ánforas de los antiguos romanos, de unos tres metros de alto.


## GALICIA

En esta región la provincia de Orense es la que se destaca, sobre todo por sus vinos del Ribeiro, zona al oeste de la capital Valdeorras y el valle de Monterrey hacen vino "verde" como el portugués. Pontevedra tiene fama por su Albariño, la mejor cepa para vino verde, de la que se dice que es una Riesling llevada por los peregrinos que iban a Compostela.

## LEÓN

Villafranca del Bierzo y Ponferrada son las localidades vinícolas más importantes. En Zamora, Morales, Corrales y Coresos, elaboran vinos de pasto (de mesa), de cepas tintas de Toro y Tinto Fino.

## VALLADOLID

Como una gema refulgente destaca el Vega Sicilia, el mejor de los vinos tintos españoles, casi mítico por su escasa producción y por lo tanto muy difícil de conseguir. Su viñedo, de solo 90 has, se localiza en las márgenes del río Duero. Este excepcional vino se fabrica con siete diferentes cepas, cuya proporción varía según la cosecha. Las uvas utilizadas provienen de las siguientes cepas: Palomino, Tinta aragonés, Tinta mollar, Tinta Garnacha, Albillo, Viura, Verdejo negro, Canorroy y Tinta Madrid. Existen en Valladolid algunos otros vinos de tipo común, como son: los Rueda, La Nava, Peñafiel, Cigales y La Seca.

## EXTREMADURA

La zona productora de vinos más conocida es la Almendralejo, con vinos blancos ligeros, poco ácidos, de color dorado.

Mencionaremos solamente el Levante español y las islas Baleares como zonas vinícolas de producción menor y escasa relevancia, cuyos vinos son conocidos y apreciados sólo en su región.

Vitral de uvas
blancas

# ALEMANIA

Si lo más importante de Borgoña, para la calidad de un vino, es la composición del suelo o el microclima, y en Burdeos afecta todo lo que altere el drenaje del suelo, en Alemania el interés se centra en el tiempo. Todos los aspectos imaginables del tiempo se examinan por sus posibles efectos sobre el peso específico del zumo de la uva o "peso del mosto"; en otras palabras, sobre la cantidad de azúcar en las uvas. Año con año se libra la batalla por el azúcar en las uvas de los viñedos alemanes, situados tan al norte como los canadienses o soviéticos, bañados por un débil sol otoñal y abriéndose paso por entre la fronda de los bosques y las montañas. Las heladas tardías (en mayo) que puede matar las hojas e interrumpir la maduración de las uvas, son factores muy importantes en la producción y calidad del vino alemán; pero cuando la batalla se gana y todos los factores climáticos favorecen, los viñedos alemanes salen airosos de su perpetuo desafío y dan al mundo sus mejores vinos, que pueden considerarse entre los grandes del mundo.

Se habla de un estilo germánico, inimitable, que en palabras simples podría explicarse que surge del equilibrio entre ácidez y azúcar. El resultado de esta ecuación (el azúcar, sin acidez, daría un sabor débil y empalagoso; la acidez sin el azúcar, sólo daría aspereza) da unos vinos de poca graduación alcohólica, en su mayoría de gran frescura y limpidez, con un extraordinario aroma, que son únicos entre todos los vinos blancos.

A fin de que ningún otro gusto venga a interferir con el placer de degustarlos en su plenitud, los cultores de los vinos blancos sugieren que sean bebidos solos, lejos de las comidas, para que el gozo sea total. Sin embargo, algunos blancos de cepas Riesling y Sylvaner, con atributo *Kabinett*, pueden llevarse muy bien con platos de aves o pescados de sabor suave. Las cepas que se cultivan son: Riesling, Sylvaner, Müller Thurgau (una cruza nobilísima de Sylvaner y Riesling), Gewurztraminer y Rulander, entre otros. Los blancos del Mosela y del Rheingau se sacan de la cepa Riesling. Los del Hesse renano, Pfalz (Palatinado) y Franken (Franconia), de la Sylvaner. La cepa Müller-Thurgau ha dado un buen resultado en Pfalz, Hesse renano y Baden. La cepa Pinot Noir, conocida en Alemania como Spatburgunder y la Portugieser, más corriente, son las fuentes principales de vino tinto. El Pinot Noir da aquí un vino pálido y sin fuerza. El Assmannshausen seco, del Rheingau, es el tinto más famoso de Alemania.

Los viñedos de Alemania se extienden a lo largo del río Rhin y sus afluentes. Son escasos en el extremo sur y más abundantes y densos cerca de la frontera francesa, en Renania-Palatinado (Rheinland Pfalz). El viñedo de Rheingau, en la margen derecha del río, entre Weisbaden y Rudesheim, es considerado como la mejor zona vinícola del Rhin.

El vino de esta procedencia une el aroma florido del Riesling a una profundidad de sabor superior a la del Mosela, aparte de ser más dorado que éste. A todo el Rheingau se le dio en 1971 el nombre muy desconcertante de Johannisberg, la más famosa de sus parroquias. La región llamada Hesserenano o Rheinhessen en la margen izquierda del río Rhin y al sur de Rheingau, da el vino muy conocido como Liebfraumilch que literalmente quiere decir "leche de la mujer amada", aunque más

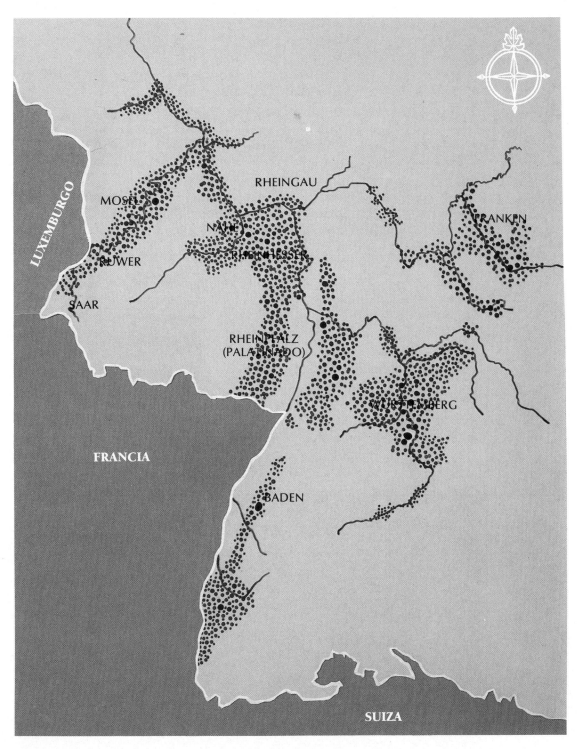

LUXEMBURGO

MOSEL

RHEINGAU

NAHE

RUWER

RHEINHESSEN

FRANKEN

SAAR

RHEINPFALZ
(PALATINADO)

WURTTEMBERG

FRANCIA

BADEN

SUIZA

Zonas
vitivinícolas de
Alemania

pudorosamente podría traducirse como leche de Nuestra Señora.

Un poco más al sur, sobre la misma margen izquierda, en la frontera con Alsacia, se encuentra el Palatinado, el viñedo más grande de Alemania, el más asoleado y seco del país. Ya en época de los romanos era llamado "la bodega del Santo Imperio" (su nombre proviene precisamente del monte Palatino, una de las siete colinas de Roma). El viñedo de Baden-Wurttemberg, en medio de la Selva Negra y frente a Alsacia, en la margen derecha del Rhin, colindando al Sur con Suiza, hace cien años era la mayor zona productora de Alemania. Otros ríos, el Nahe, el Saar, el Ruwer y el Mosel, cuyas aguas en algún momento de su recorrido se mezclan con las del Rhin, enmarcan regiones vinícolas de intensa producción. Cientos de nombres de pueblos, viñedos, vinos y productores se suceden unos a otros en los mapas y textos que delimitan y hablan de los vinos alemanes.

Franconia (Franken) se halla al margen de la corriente principal del vino alemán, tanto geográficamente como por sus muy diferentes tradiciones. Su vino es el único que no se presenta en botellas esbeltas y que se elabora con base en la cepa Sylvaner y no de las Riesling. En cuanto a sabor y fuerza, se aparta de la delicada suavidad de la mayoría de los vinos alemanes, para acercarse a los vinos franceses, lo que hace de él el mejor vino alemán para beber con las comidas. El nombre de Steinwein se emplea para designar cualquier vino blanco de Franconia, el cual es embotellado en las Bocksbeutels, bonitas botellas tipo "frasco".

Para terminar, diremos que Alemania es el país vitivinícola más septentrional del mundo. La débil radiación solar que recibe, durante un prolongado periodo, crea condiciones ideales para la producción de vinos blancos de poca graduación alcohólica, cuya fresca acidez e intenso aroma no se pierden a pesar de poseer una gran proporción de dulzura.

Vitral de uvas
blancas

# PORTUGAL

Portugal es el lugar ideal para los románticos del vino. Todavía más que Italia, es el país donde aún existen los carros rechinantes tirados por bueyes, donde las vides se cultivan en emparrados, donde el mosto purpúreo se trasiega del modo tradicional y donde se cantan canciones trasmitidas a través de los siglos.

El clima de Portugal es ideal para las vides. La mitad septentrional de la zona vinícola recibe copiosa lluvia, excepto en el alto Duero, más allá de las montañas, y tiene un verano largo y esplendoroso más que tórrido, características que le asemejan a un Burdeos aunque más meridional. La categoría general, incluido el vino de consumo, es tan alta como la de cualquier otro país vinícola y, si bien los mejores vinos (exceptuando el oporto) no pueden competir con los de Francia ni con los de Italia, el producto corriente es por lo menos igual en calidad.

El mejor vino de Portugal es el Oporto, vino celebrado y conocido en todo el mundo, fruto de una naturaleza adversa y resultado de siglos de sacrificio de viñadores de la región del Duero. El nombre del río y de sus afluentes, el Torto, el Corgo y el Tua, haría pensar en una cuenca fértil, amable, con terrenos dispuestos a recibir cualquier cultivo. Pero se trata, por el contrario, de tierras volcánicas, erosionadas y rocosas.

De ahí sale, luego de un proceso laborioso y difícil, un gran vino que se bebe añejo en distintas circunstancias: como aperitivo, como trago "restaurador" entre las cinco y siete de la tarde (costumbre más bien inglesa), al final de la comida, con los quesos o con los postres, con el café tardío de una sobremesa larga, etc. Todo depende de sus características (porcentaje de azúcar principalmente) y de su cuerpo. Cuando de los viñedos llega al puerto, en plena primavera, el oporto espera; necesariamente tiene que esperar. Su antesala al mundo es Vila Nova de Gaia (la gran bodega en que se tiene que envejecer para alcanzar su estatura y carácter), bodega situada en los muelles mismos del estuario del Duero. Hasta ahí ha sido tradicionalmente transportado por el río, desafiando en sus toneles las furias del agua, pero protegido y acondicionado como si se tratara de un niño que sólo mereciera "un lecho de rosas" y al que se le evitaran todos los desajustes de la naturaleza.

Desde que salen en el prensado, los oportos llevan la marca de una clase que poco a poco habrán de ir definiendo con el paso de los años. Hay oportos de mezcla y oportos de añada. Esta sería la traducción de los dos términos ingleses que se emplean para calificarlos: *blends* y *vintage*, respectivamente.

Los *blends* son vinos mezclados en diferentes momentos de su añejamiento; a medida que se van rectificando los sabores y aromas en un análisis permanente y minucioso, se mezclan distintos mostos al original (hay oportos *blends* que tienen 16 variedades de uvas). Una vez que se ha logrado una armonía en olor y sabor, los *blends* son depositados en inmensos barriles de madera; pero, aun ahí, donde podría pensarse que van a quedar definitivamente intocados, se les sigue "escuchando", catando, oliendo, para ver si requieren de un nuevo mosto más joven, más potente, y otro más viejo y maduro, que les confiera un equilibrio perfecto.

Los *vintages* son los oportos que gozan de un "certificado de nacimiento". Si el primer mosto, por haber salido de una vendimia fuera de serie, tiene las cualidades necesarias para un buen oporto, no es sometido a ninguna mezcla y se le añeja puro y, una vez en la botella, se le deja envejecer sin que haya un término estricto para esa larga espera; pueden ser 10, 20, 30 o más años los que el vino necesite para enriquecerse con sus propios atributos.

Además de la zona del oporto, el gobierno portugués distingue dos grandes zonas de vino de pasto (de diario) y unas cuantas de menor talla, de forma parecida a la de las Denominaciones Controladas francesas. Incluso se han impreso estos términos franceses en etiquetas portuguesas. El vino de estas zonas, embotellado en Portugal, lleva un sello gubernamental, el *selo de origen*, como garantía de su autenticidad, pero no todos los vinos proceden de estas zonas, ni es garantía de que sean muy buenos.

El Mateus rosado, el más famoso de todos los vinos portugueses de mesa, no procede de una zona delimitada, sino de Vila Real en los confines con la zona de Oporto y también con la del vinho verde. El raro Ferreirinha tinto, probablemente el mejor vino de mesa de Portugal, procede de la misma zona.

Moscatel de Setúbal es una zona delimitada al sur de Lisboa, donde se hace uno de los moscateles mejores del mundo. Es un vino reforzado, aunque no tanto como el oporto; los hollejos (que en las uvas moscateles contienen gran parte de los elementos aromáticos) se dejan macerar en él para intensificar su aroma. A diferencia de otros similares del sur de Francia, el de Setúbal mejora con la edad, el añejo puede ser exquisito.

La mejor contribución y más distintiva de Portugal en el aspecto de los vinos de pasto, es la especialidad de sus regiones septentrionales: el vinho verde, cuyo nombre describe su estilo fresco y ligeramente inmaduro, y no su color, que es tinto en sus tres cuartas partes. El resto es casi tan incoloro como el agua. Este vino se obtiene cosechando la uva antes de su total maduración y dejándola fermentar durante poco tiempo, para obtener un vino de baja graduación alcohólica y marcada acidez. La segunda fermentación tiene por objeto convertir el exceso de ácido málico en láctico. Los vinos presentan un burbujeo que los hace ser muy refrescantes. Desgraciadamente, para su exportación son endulzados, lo que borra su frescor.

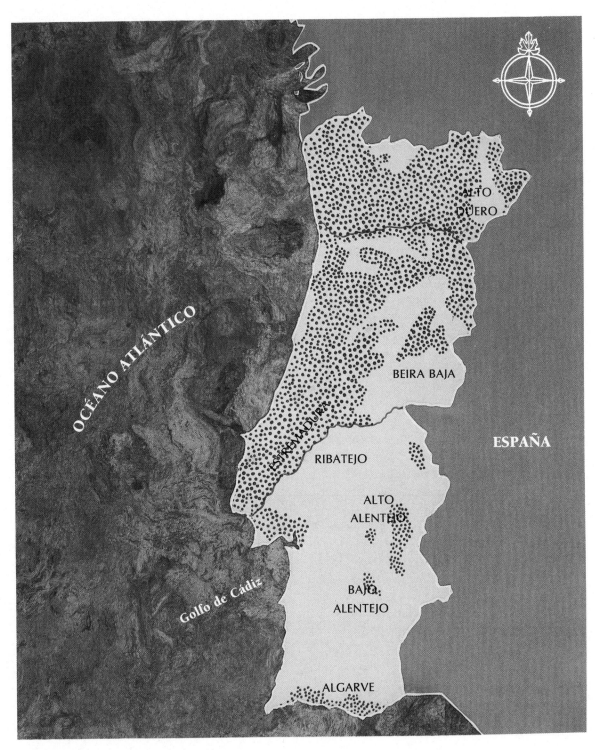

OCÉANO ATLÁNTICO

ALTO DUERO

BEIRA BAJA

ESTREMADURA

RIBATEJO

ESPAÑA

ALTO ALENTEJO

Golfo de Cádiz

BAJO ALENTEJO

ALGARVE

Zonas
vitivinícolas de
Portugal

# HUNGRÍA

Pocos países tienen un carácter nacional tan pronunciado en su comida como Hungría. El vino húngaro característico es blanco, o mejor dicho, de un cálido dorado, y huele más bien a pastelería que a frutería. El sabor, si es un buen vino, es claramente dulce, pero lleno de fuego e incluso un tanto fiero. No es, ni mucho menos, un vino de postre; es un vino para comidas preparadas con más especias, pimienta y grasa de lo que puede resistir un vino ligero.

Como Alemania, Hungría cuida sobre todo sus vinos dulces, y el Tokay es su orgullo y satisfacción. No obstante, en gran parte del país se producen también buenos vinos secos y tintos.

Tokay es una villa provincial como las de las novelas rusas, y es que Rusia se encuentra a sólo 65 km de distancia. Las colinas de Tokay son antiguos volcanes, lava cubierta por una capa arenosa, el suelo perfecto para las vides. Desde la llanura y hacia el sur llegan cálidos vientos del verano, se filtra la humedad del río y las propias colinas sirven de protección. Las mismas cepas que crecen en otras partes de Hungría, Furmint y Harslevelu, maduran aquí perfectamente. Es más, sufren la misma "podredumbre noble" de las uvas de Sauternes, concentrando su azúcar y aromas en una quintaesencia del avinado. Fermentan lentamente, pero dan un vino fuerte e intensamente aromatizado.

Es costumbre de Tokay separar las uvas más afectadas por la podredumbre noble, llamada aquí *aszu*, y estrujarlas hasta formar una pulpa, en unos lagares llamados puttonyok. La pulpa contenida en un puttonyok de 32 litros se añade a los barriles con vino de un año. Los barriles de Tokay, llamados gonci, sólo guardan 160 litros, de modo que si se les añaden cinco puttonyok, el vino es enteramente aszu, como un Beerenauslese alemán. El Tokay más lujoso se elabora únicamente con el zumo que las uvas aszu exudan en espera de ser estrujadas. Esta "esencia" llega a contener hasta 60% de azúcar y difícilmente fermentará. Hoy en día se utiliza normalmente para endulzar los vinos aszu, pero antes se le hacía fermentar muy despacio y se reservaba para los lechos de muerte de los monarcas, donde se suponía que había de obrar poderes milagrosos.

Para finalizar con Europa, sólo citaremos otros países productores de vinos, que, aun cuando de buena calidad, no se han significado en el mercado mundial, como son: Suiza, Austria, Yugoslavia, Grecia, Rumania, Checoslovaquia, Bulgaria y la Unión Soviética. Chipre y Malta producen también vinos aceptables, cuya calidad no va de acuerdo con la tradición vinícola tan antigua que poseen, sobre todo Chipre, considerada como una de las más antiguas del mundo.

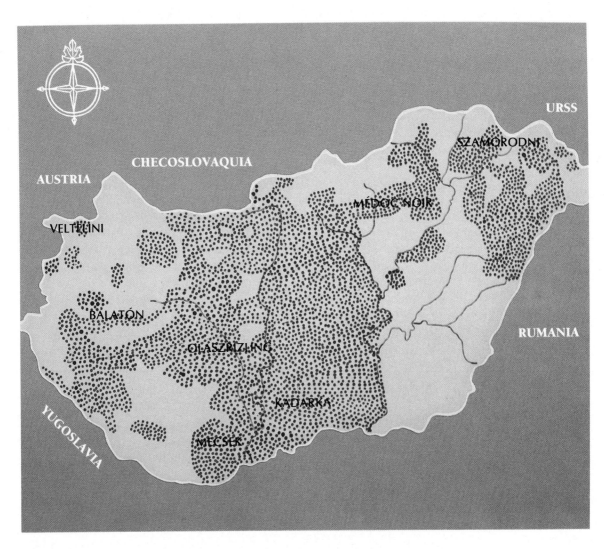

Zonas
vitivinícolas de
Hungría

## AMÉRICA DEL NORTE

Los vinos californianos al oeste, y los del norte y este de los Estados Unidos son un patrimonio que el país ha logrado fortalecer a lo largo de muchos años de sacrificio, en los que los éxitos y fracasos se entremezclaron permanentemente. En California, las vides europeas (*Vitis vinifera*) encontraron su tierra prometida, siendo introducidas a través de México, donde los españoles las habían llevado a principios del siglo XVII para elaborar el vino litúrgico. Sus viñedos primitivos, llamados *Mission* (seguramente obtenidos con una planta de semillero, puesto que se conocía en Europa), florecieron en California. Se cree que Fray Junípero Serra plantó en San Diego la primera viña.

## ESTADOS UNIDOS DE AMÉRICA

Jean Louis Vigne fue el primero en llevar al territorio de Estados Unidos cepas de Francia, su país natal, en 1830. La implantación de vides europeas fue seguida por otros tres prohombres de la vinicultura estadounidense: Karl Kohler, Johannes Frohling y William Wolfskill. También hubo un inmigrante húngaro llamado Agos-

Vitral de uvas
tintas

Recolección de
uvas en un
viñedo
establecido a la
orilla del río
Hudson, 1890

ton Haraszthy, a quien decían "el Coronel" y que con justicia se hizo acreedor al
título de "padre de la vinicultura californiana", ya que en plena fiebre del oro se hizo
cargo y organizó, en cierto modo, la nueva industria vinícola y él mismo trajo de
Europa 100 000 esquejes de innumerables variedades.

La tarea de los precursores, y su lucha, fue la experimentación. De la crisis
económica y epidémica (la famosa filoxera) a periodos de auge, el siglo XIX fue, finalmente, el de la consolidación del cultivo de la vid y aun de la producción vinícola.

En 1919, un rudo golpe, la ley de prohibición alcohólica, conocida también
como Ley Seca, provocó una regresión notable. Lo que se había ganado en superficies de cultivo y en métodos de elaboración, se redujo y desperdició en gran parte;
los intentos por conferir una fisonomía particular a los vinos californianos tuvieron
que renovarse en 1933, cuando la ley fue abolida.

La región vinícola californiana se divide en nueve zonas, cinco bordean la
Bahía de San Francisco y se hallan próximas a la ciudad del mismo nombre, que
son: Sonoma-Mendocino (con subdistritos: Valley of the Moon y North Sonoma);
Napa, al norte; Livermore al este; Santa Clara-San Benito y Santa Cruz-Monterrey,
al sur. El conjunto se llama North Coast Countries (comunas o distritos de la Costa

Norte). Las cepas, de origen europeo, son Cabernet Sauvignon (Burdeos); Pinot Noir y Chardonnay (Borgoña); Sauvignon Blanc (Sauternes); y Barbera (Piamonte italiano), entre otras muchas.

A lo largo del valle del río San Joaquín se extienden tres zonas: Lodi, Modesto y Fresno, donde las variedades dulces como Palomino, Tinta Portuguesa y Moscatel se dan con éxito. Una última zona, al este de Los Angeles, completa el total, Cucamonga, conocida por sus vinos dulces y ligeros.

Los vinos californianos como *generies* son los que llevan los nombres que les impusieron los colonos europeos del siglo pasado (todavía hay designaciones como "Sherry y Chablis"); los vinos conocidos como *varietales* llevan el nombre de la variedad de cepa más usada en su elaboración (por ejemplo, Chardonnay, Pinot Noir, Cabernet Sauvignon). Otros productores bautizan sus vinos ellos mismos, a su antojo.

Entre los blancos varietales cabe mencionar algunos nombres que se han ganado ya, desde hace tiempo, a los conocedores más exigentes por ser ligeros, frescos, afrutados: Emmerald Riesling, Gewurztraminer, Johannisberg Riesling, Grey Riesling, Green Rungarina. Otros varietales, más fuertes, plenos y robustos son: el Chardonnay, Chenin Blanc, Pinot Blanc, Semillon y Sauvignon Blanc. Al Chardonnay se le reconoce un carácter frutal, con reminiscencias a manzana o duraznos.

Vinos tintos de prestigio son el Grignolino, Ruby Cabernet, Gamay Zinfandel (uva muy del gusto americano) y el Cabernet Sauvignon, vino que ha alcanzado excelente calidad. Un híbrido de Cabernet Sauvignon y de Cariñena dio en Napa y Sonoma el mencionado Ruby Cabernet, que añeja bien y tiene un lejano sabor a frambuesas. Barbera, Petite Syrah y Pinot Noir dan buenos vinos robustos.

En California también se elaboran vinos espumosos con un método similar al del champagne, a partir de algunas variedades como la Chardonnay y la Pinot Blanc, llegando a tener excelente calidad, como en el caso del Shramsberg, nombre culminante del champagne californiano. (El presidente Nixon lo llevó a China para brindar con motivo de la reanudación de relaciones diplomáticas). Los vinos espumosos de Napa resultan tan buenos que Möet et Chadon, de Francia ha construido un nuevo lagar en Yountville para elaborar su propio producto.

La añada, año de nacimiento del vino o cosecha no tiene en California la importancia que tiene en la vinicultura francesa o alemana, porque la estabilidad del clima y los recursos técnicos aseguran una calidad permanente. Sin embargo, los productores la señalan en la etiqueta por rigor y para indicar un dato más en la apreciación del añejamiento en botella.

Los vinos de California más logrados figuran, hoy día, entre los mejores del mundo. Lo más importante, es que California ha descubierto la manera de elaborar buenos vinos ordinarios, baratos y de calidad consistente. Gracias a sus productos refinados, de calidad media muy aceptable, así como al rápido crecimiento del mercado, California se perfila como uno de los grandes países productores de vino en el futuro.

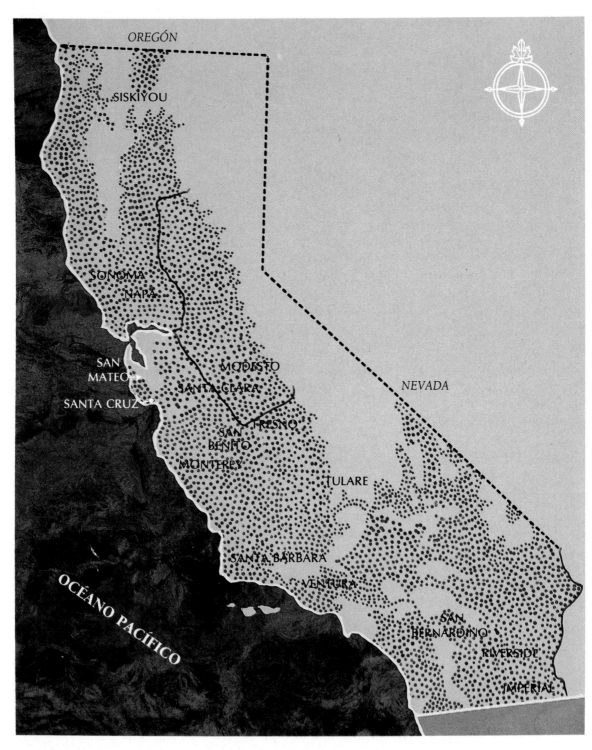

Zonas
vitivinícolas de
California, EUA

# MÉXICO

El clima, las circunstancias históricas más dramáticas, como la guerra de Independencia o la Revolución, pero también la falta de un hábito cultural, son algunas de las razones que explican la poca producción vinícola de México. A pesar de que las viñas mexicanas son las más antiguas de América y de que los conquistadores españoles tenían una tradición en vinos de varios siglos, esta bebida sólo tuvo un lugar en la Misa Católica, como vino de la Eucaristía.

En la época de Hernán Cortés se impuso a cada colonizador español la obligación de plantar diez viñas por cada nativo que viviera en sus tierras, medida destinada no sólo a mantener las bodegas de las misiones y de los señores, sino también a lograr una colonización efectiva y una dominación mayor sobre los indígenas. Tiempo después, los vaivenes y contradicciones de la política colonial culminaron en una disposición real de Felipe II: el cese de la producción vinícola en la Nueva España para eliminar toda competencia que pudiera lesionar los privilegios de los comerciantes de vinos españoles.

En el siglo XX se inicia una incipiente industria que en sus comienzos (1920) sólo tiene el carácter de un desafío valeroso. Para esos pioneros modernos el intento de logar una vinicultura fue querer demostrar al mundo que aquel pasado trunco por la voluntad de otros podía recuperarse en un presente promisorio y que para ello bastaba con reiniciar el cultivo de la vid. La tecnología más avanzada y los conocimientos perfeccionados de la enología aportarían el resto.

En la década de los cincuenta y los sesenta los intentos progresaron y a partir de 1970, algunos vinos de mesa comenzaron a ser reconocidos por su calidad. Curiosamente, la industria vinícola mexicana de este siglo había empezado con la elaboración de brandis, una técnica muy complicada que exige de una alta precisión y cuidados extremos. La casa Pedro Domecq de España estuvo en ese impulso del brandy, bebida noble que tiene una aceptación mucho mayor que los vinos de mesa en el público mexicano.

Las principales cepas de la producción mexicana actual son: Palomino, Riesling, French Colombard, Sauvignon Blanc, Chenin Blanc, Moscatel y Semillon, para vinos blancos. Merlot, Ruby Cabernet, Petite Syrah, Barbera, Valdepeñas, Carignan (Cariñena o Cariñan, para los españoles), Criolla, Pinot Noir, Cabernet Sauvignon, Grenache y Malbec, para los tintos.

Las estadísticas indican que entre los años 1927 y 1936 se hallaban cultivadas sólo 1 500 has de vid, aproximadamente, y es sólo a partir del año 1940 cuando la drástica disminución de la capacidad de producción europea, a causa de la Segunda Guerra Mundial, permite indirectamente, el verdadero despegue de la vitivinicultura en México. Desde ese momento hasta la fecha, el desarrollo de los viñedos ha sido continuo y ha ido creciendo año tras año, mejorando su calidad y ocupando el lugar que le corresponde en los hogares mexicanos y en el mercado internacional.

Los datos más confiables señalan que en México existen aproximadamente 76 000 has de tierras cultivadas con vides. Esta superficie puede parecer poco

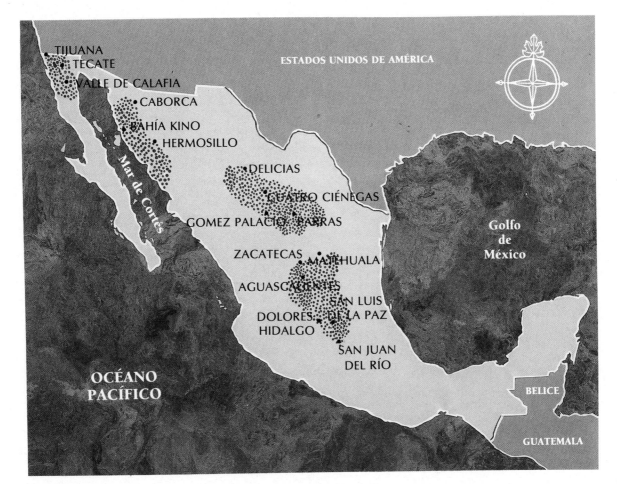

ESTADOS UNIDOS DE AMÉRICA

TIJUANA
TECATE
VALLE DE CALAFIA
CABORCA
BAHÍA KINO
HERMOSILLO
DELICIAS
CUATRO CIÉNEGAS
GOMEZ PALACIO PARRAS
ZACATECAS
MATEHUALA
AGUASCALIENTES
SAN LUIS
DOLORES DE LA PAZ
HIDALGO
SAN JUAN
DEL RÍO

Mar de Cortés

OCÉANO
PACÍFICO

Golfo
de
México

BELICE

GUATEMALA

Zonas
vitivinícolas de
México

importante, en relación con la extensión de la República Mexicana; sin embargo, el número adquiere alta significación teniendo en cuenta los adversos factores físicos de su geografía y la relativamente joven posición de su industria vinícola.

Dentro del estado de Querétaro, en el centro del país, la zona más importante comprende las poblaciones de San Juan del Río y Tequisquiapan, con 2 000 has cultivadas. Cerca de esta región se encuentran las ciudades de Guanajuato, Dolores Hidalgo y San Luis de la Paz, que tienen 900 has aproximadamente. Hacia el norte, Aguascalientes es una de las zonas más productivas, con una superficie sembrada de 8 000 has y siguiendo al norte, Zacatecas, con cultivos recientes, alcanza una extensión de 5 600 has de viñedos.

La región agrícola conocida como la Comarca Lagunera es un triángulo compuesto por las poblaciones de Torreón, Gómez Palacio y Lerdo, con 7 100 has cultivadas. Hacia el este, las tradicionales zonas de Parras y Paila tienen 750 y 600 has, respectivamente. Ciudad Delicias, en el estado de Chihuahua, es considerada un importante centro productor. El estado de Sonora, a su vez, cuenta con una gran producción, siendo sus principales regiones Hermosillo, Bahía Padre Kino y Caborca.

En Baja California se destacan las ciudades de Tijuana, Tecate, Ensenada y los valles de Calafia y Santo Tomás. En Baja California Sur también existen zonas de significativo rendimiento, como son San Ignacio, La Purísima y Médano.

A pesar de que la principal zona vinícola de México se halla en los límites definidos como idóneos para el cultivo de la vid, la gran extensión de territorio cultivado, desde Querétaro hasta Baja California, implica muy diferentes condiciones climáticas y grandes variedades de altitud, factores que inciden directamente sobre el carácter y calidad de los cultivos. Estos factores determinaron la producción de una uva con características exclusivas, de buena calidad y, por consiguiente, los productos que de ella derivan presentan una personalidad inconfundible.

En su mayor parte, los cultivos han sido realizados en tierras inapropiadas para otros plantíos: se trata de regiones desérticas o semidesérticas que hasta hace poco no habían sido trabajadas, ya que para tornarlas productivas se habrían requerido grandes inversiones de capital y un alto riesgo comercial. Pero en México la vid se desarrolla como un desafío a la naturaleza, en terrenos donde ningún otro cultivo podría resistir; así, regiones que naturalmente no ofrecían grandes posibilidades de desarrollo, fueron convertidas en importantes fuentes de trabajo y de riqueza para sus pobladores.

El vino mexicano no pretende imitar a los europeos ni a los chilenos o argentinos, valga el caso. Las características del suelo y las condiciones climáticas de cada región, los distintos tipos de uva, los singulares procesos de cultivo y de elaboración, son factores que en su conjunto dan la personalidad del vino nacional. Así, por ejemplo los de Baja California y los que se producen en San Juan del Río tienen cada uno características exclusivas, pero en ambos casos presentan una personalidad común que los distingue como vinos mexicanos.

Los de personalidad más destacada son los tintos del valle de Calafia, siendo excelentes los blancos. El rosado es muy digno y está vinificado conforme a la técnica de los auténticos vinos rosados, es decir, que no son una mezcla de tinto y de blanco.

Desgraciadamente, en México aún no existe, como en otros países, una reglamentación que obligue a precisar la procedencia exacta de cada vino, y las variaciones en la calidad de una a otra cosecha, y hasta de una a otra partida, está generalmente determinada por la mezcla de uvas de diferentes procedencias. Es por ello que las etiquetas constituyen habitualmente el mejor índice de calidad y origen de cada producto, ya sea porque señalan expresamente la cepa de la cual provienen (como los varietales), o bien porque ostentan una marca de prestigio que garantiza una cuidadosa elaboración y un procesamiento final adecuado.

Para concluir, podemos decir que a pesar de las condiciones climáticas adversas, de la aridez del suelo y su altitud, el esfuerzo, el trabajo constante, las grandes inversiones de capital y los avances tecnológicos han dado sus frutos, empezando a hacer de los vinos mexicanos, un buen producto, apto para abastecer sin demérito al creciente mercado interno. Su evolución ha sido progresiva, constante, y en la actualidad algunos vinos mexicanos pueden ya servirse con dignidad en cualquier mesa del mundo.

Viñedo mexicano

# AMÉRICA DEL SUR

Sudamérica produce una de cada ocho botellas del vino mundial, siendo Argentina la nación que ocupa el cuarto lugar como productora de vino en el mundo, después de Italia, Francia y España.

En principio, los más interesados en cultivar la vid fueron los frailes, quienes utilizaban el vino para las prácticas religiosas, pero no fue sino hasta fines del siglo XIX y principios del XX cuando la historia del vino sudamericano empezó a tomar auge, con la llegada de los inmigrantes europeos, atraídos por las promesas del Nuevo Mundo. Así, los fértiles y extensos valles cortados longitudinalmente por el eje de la cordillera de los Andes dieron origen a los viñedos de Argentina y de Chile, cuyos vinos ocupan un lugar significativo en el mercado internacional.

## ARGENTINA

El primer viñedo argentino llegó con los españoles en el siglo XVI, según algunos historiadores, aunque otros afirman que fue hasta el siglo XVII cuando llegaron provenientes del Perú. Comenzaron a crecer en Santiago del Estero, una provincia entre central y norteada, arriba de Córdoba. Años más tarde, los viñedos se extendieron hasta San Juan y Mendoza, donde prosperaron hasta convertirse, desde hace un siglo, en las regiones más productivas del país.

Los colonos italianos fueron los responsables en el incremento de las viñas en la región de Cuyo (que incluye a San Juan y Mendoza), quienes crearon sistemas de riego por canales y acequias, mejorando el enriquecimiento de los suelos. Actualmente estas regiones son las más productivas y están en primer término por el volumen de sus cosechas y por su producción, que alcanza niveles industriales. La industria está montada sobre las premisas de la fabricación en serie, existiendo pocos vinos de interés individual y por tanto de calidad significativa. En cambio,

Zonas
vitivinícolas de
Argentina

Bodega de
añejamiento

existen muchos vinos ordinarios, obtenidos de cepas sanas y robustas, crecidas en un ámbito perfecto, que son satisfactorios y apetitosos, inigualables para el consumo interno, que es aparentemente insaciable, pues los argentinos consumen la misma cantidad de vino o más que los italianos y los franceses.

Las principales provincias argentinas productoras de vinos son: Río Negro, próxima a las estribaciones de la cordillera de los Andes, Buenos Aires junto al Atlántico, Santa Fé y entre ríos en el litoral oriental, Córdoba al centro y la Rioja, Catamarca, Salta y Jujuy, en el noroeste.

En cuanto a cepas, las más distinguidas son las de origen europeo. El vidueño más antiguo, hermano de las uvas "del país" chilenas, es el Criollo, desdeñado tal vez por paladares muy exigentes, pero considerado indispensable para ciertas mezclas para vino blanco, muy gratas a los paladares argentinos. Pedro Ximénez, Semillon, Pinot Blanc, Malvasia, Riesling, Trebiano, Cabernet Sauvignon, Merlot, Malbec y Lambrusca, son otras de las variedades empleadas para vinos blancos y tintos.

Los enólogos y degustadores aficionados describen los mejores tintos como vigorosos y bien equilibrados, robustos, ideales para acompañar los platillos nacionales y, fundamentalmente, los célebres churrascos. Los tintos tienen una graduación alcohólica de 12° a 13°; en cuanto a los blancos, tienen un aroma intenso, fresco, que los hace muy agradables.

De una categoría inferior, para el consumo masivo, es el llamado vino común de mesa que a veces tiene una Denominación de Procedencia que indica que ha sido embotellado en su lugar de origen. Estos vinos, como ya se ha mencionado, se beben en grandes cantidades.

Algunos expertos han considerado al vino tinto Don Valentín, lacrado, y al Caballero de la Cepa, también rojo, como los mejores vinos argentinos. Desgraciadamente, aunque el volumen de exportación es muy grande, estos buenos vinos casi no salen del país, llegando a nuestras manos sólo los llamados "finos", "reservas" y casi nada de los "especiales".


## CHILE

Una exportación reducida, aunque de mayor calidad que la argentina, hace que los vinos de Chile sean privilegio de una élite internacional de bebedores. Sin embargo, vuelve a repetirse el caso de que los mejores vinos no salen del país y tenemos que conformarnos con los vinos de calidad de exportación.

Un español, Don Bartolomé de Terrazas, enseñó en 1550 a los peruanos las formas de cultivo y las técnicas artesanales, primitivas, pero ya probadas, para la elaboración de vino. De ahí, sus discípulos, los enólogos más primitivos, trasladaron su ciencia a Chile.

Los vinos chilenos destacan más por su calidad y prestigio que por el volumen de su producción, que cuantitativamente representa sólo la cuarta parte de la Argentina. En la vinicultura chilena, la influencia y técnica francesas son más importantes, tal vez porque junto con la introducción de cepas galas, procedentes de

Burdeos, también vinieron técnicos que perfeccionaron los métodos de producción. Lo importante es que los vinos chilenos son reconocidos en todo el mundo como buenos vinos e incluso se han llegado a poner a la altura de los franceses.

En los archivos más antiguos se han descubierto documentos que han permitido saber que durante la conquista se plantaron cepas criollas, nobles, traídas de España y que existían vinos que se bebían con agrado. La Uva de Gallo negra, la Uva de Italia, negra y blanca, Uva de San Francisco y Uva del País negra, eran hasta el siglo xix las variedades criollas de estirpe española. Cuando llegaron las cepas nobles francesas su calidad no decayó y juntas dieron al vino chileno su fama mundial.

Para los vinos tintos se emplean las cepas: Merlot, Cabernet, Pinot Noir, Verdot, Malbec, etc., y las criollas Romano y del País. Para los vinos blancos: Sauvignon, Pinot Blanc, Semillon, Riesling Torrentes e Italia (estas dos últimas criollas). El tipo Riesling quizás sea el más conocido fuera de Chile; de una personalidad muy especial, muchos lo prefieren por ser más seco que los Rieslings de Alemania y California.

El Cabernet es afrutado, rico en tanino, equilibrado y de buena maduración, procesado como si fuera clarete, embotellado después de dos años y almacenado durante cuatro o cinco años, se convierte en un excelente vino.

Las precipitaciones pluviales registradas en el centro de los cultivos chilenos no bastan para el cultivo de vides sin irrigación artificial. Una asombrosa red de canales y arroyuelos creada por los incas abastece de agua a todos los viñedos, pero el clima océanico parece que sienta muy bien a las cepas de Burdeos. Los valles del Aconcagua y los de los ríos Maipi, Cachapoal y Maule, atemperados al oeste por la influencia del mar y al resguardo de las altas cimas andinas por el este, cultivan Cabernet y Merlot, Sauvignon y Semillon, al estilo de Burdeos. Con suelo liviano y fértil y un completo control del suministro de agua, el cultivo de viñas parece absurdamente sencillo. La filoxera nunca se ha conocido en Chile. Las viñas crecen con sus raíces naturales, sin ayuda de los injertos. De este modo se crean nuevos viñedos, plantando simplemente sarmientos de las cepas deseadas a intervalos de dos metros uno de otro. En el plazo de un año brotan gozosamente como plantas nuevas y al tercer año brotan las primeras uvas.

Las denominaciones que identifican a los vinos chilenos se establecen de acuerdo con la edad. Hay vinos "corrientes", de por lo menos un año de crianza. Los "especiales", de dos años; los "reservados" de cuatro y los "grandes vinos", garantizados legalmente porque han envejecido diez años en toneles de roble.

Para terminar, no podemos olvidar el hecho de que en los últimos años, las circunstancias del gobierno en Chile han entorpecido la producción vinícola, en un periodo en que otras naciones similares han estado realizando rápidos progresos. La inflación y la falta de divisas para comprar nueva maquinaria (o incluso roble para las barricas) han malogrado a destacados vinicultores que poseían algunas de las mejores cepas del mundo. A largo o corto plazo, sin embargo, Chile tiene asegurado un puesto en el concierto de las naciones vinícolas importantes.

OCÉANO PACÍFICO

CHILE

BRASIL

URUGUAY

ARGENTINA

O'HIGGINS

TALCA

LINARES
CONCEPCIÓN
CHILLÁN

OCÉANO ATLÁNTICO

Zonas
vitivinícolas de
Chile

La degustación del vino. *The Illustrator's Handbook*

*De gustibus non-disputandum est.*
*El gusto no es tema de discusión.*

HORACIO

# 7. La degustación

Durante el proceso de la degustación participan todos los sentidos de una manera simultánea y armónica, actuando como "informadores" del sistema nervioso central acerca del conjunto de sensaciones recogidas, las cuales se integran y asocian maravillosamente en la corteza cerebral, evocando en nuestra conciencia la apreciación subjetiva del vino.

La degustación del vino exige diferentes condiciones, tanto por parte del que degusta, como por parte del elemento a ser degustado. Por parte del degustador, exige ante todo amor al vino, sin el cual la disposición de ánimo para efectuarla carecería de la motivación necesaria para aplicar toda la concentración y atención necesarias para tener éxito en la apreciación del mismo. Es necesario además gozar de buen estado general de salud, pues mal disfrutará o apreciará un vino aquél que sufre un proceso doloroso, o un estado febril; el deprimido emocionalmente, y ni

Forma de colocar una botella de vino en la mesa

que decir acerca de malestares en los aparatos digestivo y respiratorio, sin cuya integridad funcional, la degustación será mal apreciada.

El vino a degustar requiere de ciertas condiciones, como la temperatura manejo, condiciones de los recipientes en los que se degustará, etc., que serán analizadas posteriormente.

De modo general, la vista y el oído nos preparan anímicamente de una manera positiva o negativa, dependiendo del ambiente en el cual se desarrollará nuestra degustación. El espectáculo de una mesa bien presentada, la presencia de las botellas que se escanciarán, el retintín del cristal durante los brindis, el agradable ruido del vino al ser servido en las copas o el jubiloso estallido de una botella de champagne al ser descorchada, son elementos que nos condicionarán positivamente para una buena degustación. De modo particular, el sentido de la vista nos proporciona las primeras impresiones acerca del vino, aun antes de que la botella sea descorchada, la observación visual de la misma, ya nos puede señalar detalles que despierten nuestras sospechas acerca de la salud del producto. Ocupémonos pues, en primer lugar, de la información proporcionada por el sentido de la vista.

## DEFINICIÓN DEL ASPECTO VISUAL

El color del vino es un fenómeno no cambiante, variado y ligeramente matizado, para el cual los medios corrientes de expresión son todavía más rudimentarios, hasta el momento, que para las otras sensaciones. Si no fuera más que un factor de apariencia y de seducción comercial, su interés sería menor y superficial, pero por experiencia, se constata que existe para cada tipo de vino, una relación bastante estrecha entre:

- Su aspecto coloreado
- Su color sustancial
- Su grado de evolución

Y por consiguiente sus caracteres gustativos. El color en cierta forma es el índice precursor de la degustación y el anuncio implícito de una gran parte de sensaciones que posteriormente descubrirán el olfato y el gusto. Pero estas correlaciones no son fáciles de formular y no han sido hasta aquí el objeto de un vocabulario sistemático. En resumen, el color de los vinos se aprecia bajo tres aspectos:

- La limpieza
- La intensidad
- El matíz

Y cada uno de ellos representa ciertos estados que condicionan la continuación de la degustación.

Observación del aspecto visual del vino

## LA LIMPIEZA

Es el aspecto que más a menudo da lugar a polémicas. Nuestros antepasados ignoraron completamente esta contingencia mientras no dispusieron de medios de clarificación sumarios. Sin embargo, un cierto esnobismo comercial que nació después de la Segunda Guerra Mundial, hizo una verdadera religión al exigir para el consumo de los vinos, una limpieza irreprochable, en detrimento, algunas veces, de otras cualidades. Existen embotelladores y agentes comerciales que admiran tiraje de aspecto cristalino, sin haber siquiera degustado la primera gota. Es cierto que para un determinado estilo de comercio, cuidadoso únicamente de la apariencia, el aspecto de las cosas es lo que cuenta ante todo.

En los vinos turbios, se tiene la impresión de que las partículas microscópicas en suspensión obstruyen las papilas de la lengua, distorsionan la apreciación de los sabores por una sensación limosa y debilitan la retro-olfación. Pero si los turbios están bien dispuestos y sedimentados, no dañan la franqueza de la degustación. Y es aquí, de hecho donde está el verdadero problema.

La mayoría de los consumidores no distinguen entre "turbio" y "residuo" y el significado de uno y otro es muy diferente. Para resolver el caso, basta con practicar el siguiente ensayo que es muy simple:

1. Colocar la botella en forma vertical en un lugar fresco y dejarla reposar unos días.
2. Si después de este periodo el vino está todavía nebuloso, si nada se juntó en el fondo de la botella, se trata de un verdadero turbio.
3. Si al contrario, el vino se aclaró, y si los elementos que estaban esparcidos en el vino se asentaron, se trata solamente de residuos que estaban dispersos, probablemente por una manipulación muy fuerte.

El pronóstico de un turbio persistente es siempre desfavorable, mientras que el del residuo es más bien benigno, pero la significación es diferente en los vinos blancos y en los tintos.

## LOS TURBIOS

*Vinos blancos*: la presencia de levaduras con refermentaciones en residuos de azúcar, provocan en el vino blanco un oscurecimiento y una opacidad permanente o un enturbiamiento de tipo metálico cobrizo o bronceado, haciendo al vino no degustable. En caso de residuos en el fondo del vino, estando limpio, se trata casi siempre de pequeños cristales, algunas veces esparcidos como arenas finas y transparentes, algunas veces aglomerados en placas delgadas que se unen a la pared interior de la botella. El caso no es grave, significa que el vino ha tenido "frío" en algún momento y ha depositado sarro. Su calidad no ha disminuido, basta con servir el vino con precaución, para no verter el sarro en las copas.

*Vinos tintos*: no pueden encontrarse aquí, como partículas en suspensión visibles al ojo, más que dos clases de elementos: una población de microbios u otras sustancias inertes cristalizadas o coaguladas con el tiempo. Estas últimas, más pesadas que líquidas, deben naturalmente asentarse. Si no da lugar a sospechar la presencia de microbios que, por su actividad, se mantienen dispersos en la botella. Estos problemas son frecuentemente mal entendidos y vale la pena entrar un poco más en detalle.

Los turbios microbianos: un vino en perfecto estado sanitario y de apariencia muy limpia, no está nunca totalmente exento de microbios. Estos microbios son residuos de diversas fermentaciones naturales que se han desarrollado durante la vinificación y la conservación. Desde el punto de vista de la higiene humana, son totalmente inofensivos y comparables a la levadura alimenticia o los fermentos lácticos del yogurt y de la col fermentada.

Para eliminar estos residuos bacterianos, bastaría con recurrir a la pasteurización o a la filtración estéril. Si se va al fondo del problema, los medios tan radicales no son indispensables para la mayoría de los vinos. Lo importante no es obtener la ausencia de microbios, sino mantenerlos en condiciones que no puedan activarse y obtener la estabilidad del medio por vías naturales. Se llega a la estabilidad por la combinación de diferentes medios:

1. La mayoría de las empresas modernas de enología dedicadas a la elaboración de vinos terminados, no emplean más que sustancias fácilmente fermentables como el azúcar y el ácido málico. En ausencia de estas sustancias, los raros fermentos que permanecen en el líquido no tienen alimentación normal y no pueden volver a tomar su actividad.

2. Los vinos reciben una pequeña cantidad de ácido sulfuroso en su embotellado, y esta dosis basta para neutralizar temporalmente los fermentos que han sobrevivido. En el caso de los vinos de primicia, que contienen todavía ácido málico, o de vinos suaves que se mantienen azucarados, este sulfitaje se refuerza. Son casos en los que se puede recurrir a la pasteurización o a la filtración estéril. De todas maneras, los embotelladores están informados del peligro y toman las precauciones necesarias.

3. El punto que entra en juego en el mantenimiento de la estabilidad, es la temperatura de conservación del vino, en el depositario o en el consumidor.

Y es aquí donde surgen por ignorancia, innumerables dramas. Para la conservación del vino, existe un margen de temperatura ideal, no es uniforme y varía según el origen y la clase de los productos. Los vinos exóticos, o producidos en las regiones calientes se adaptan sin sufrir, durante su evolución, a temperaturas relativamente elevadas.

Pero para los vinos producidos en las regiones templadas la temperatura ideal u óptima de conservación en botellas es de 12° centígrados, con una tolerancia de oscilación temporal de 2° de más o de menos. Es decir, que entre 10° en invierno y 14° en verano, el vino se portará bien, pero lo mejor es todavía la buena cava isoterma a 10° todo el año, que es el verdadero secreto de los viejos viñadores europeos. Abajo de 10° y con más razón si desciende entre 5° y 0° durante el invierno, se expone a encontrar cristales de sarro o depósitos de materias colorantes en las botellas. Pero arriba de 14° provoca el amarillamiento y la maderización de los vinos blancos y se despiertan en los vinos tintos los microbios. Éstos, no encontrando más alimentación normal en los vinos que están terminados, atacan a otras sustancias, como el ácido tártrico, el glicerol, los azúcares de tipo pentoso que estaban a salvo en las levaduras, etc. Estas diversas actividades constituyen enfermedades que se llaman: lo agrio, lo amargo, lo picante, etcétera.

Evidentemente, esto no sobreviene en un día. Al principio las botellas muestran solamente un ligero velo. Un examen microscópico revela bacterias lácticas. Pero en este estado son insignificantes, y no dañan todavía a la degustación ni a la calidad del vino, no desconfíe a que sobrevenga un pequeño calentamiento suplementario y la explosión demográfica de las bacterias, las cuales se extienden en toda la botella creando un turbio importante y persistente, que consume la alteración. Un signo acompaña y completa este diagnóstico: la saturación de gas carbónico. Bajo el efecto de la temperatura y de la enfermedad, el color mismo del vino se altera, palidece y se amarillenta, gustativamente este estado es insoportable y los estragos irreversibles.

¿Cuándo se insistirá bastante sobre la importancia de la temperatura para la conservación del vino? Pero, ¿cómo obtener los 12° necesarios en estos amontonamientos de jaulas colectivas que tienen lugar hoy, en apartamentos? Estos conjuntos están desprovistos de cavas verdaderas, porque no se podría dar este nombre a los sótanos que las guardan, cerrados a claraboya, recorridos por corrientes de aire o conductos de calefacción y apestados con olor a col podrida que emana de los drenajes. Hubiese sido mejor instalar ahí una cámara fresca, climatizada a 10° o 12°C, que necesita pocas frigorías, dividida en pequeños compartimientos individuales, donde los interesados podrían tener un casillero cerrado con llave para las botellas dignas de este tratamiento.

¿Cómo obtener estos 12°C en la etapa precedente, es decir, en los anaqueles comerciales, que de más a más son hangares desterrados o aglomerados, expuestos en inercia térmica tanto a la canícula, como a las escarchas? Las grandes firmas comerciales exportadoras son las más expuestas a estos azares, porque en los países nuevos y en los que no se tiene ninguna tradición vinícola, nunca se ha imaginado la importancia de la temperatura y se trata al vino como se trata al petróleo.

Se comprende mejor entonces porqué los exportadores europeos han recurrido a los procedimientos de esterilización más renovados, tales como la filtración cerrada o la pasteurización. Pero esto no es más que una medida de precaución, que no impide a la temperatura actuar en el estado del vino, provocando una oxidación más rápida, la maderización de los vinos blancos, el oscurecimiento de los vinos tintos y una deteriorización siempre importante de los aromas del *bouquet*.

Los residuos en las botellas: cuando se toman de la cava viejas botellas de vinos tintos, que han permanecido años sin ser desplazadas, se encuentra algunas veces un pequeño montón sólido, que se ha unido bajo la forma de un largo cordón

coagulado o de una lenteja al nivel del respaldo, pero que deja el vino completamente limpio al lado de su residuo. Para observar este fenómeno basta con subir el frasco con precaución arriba de los ojos, dejándolo horizontal y mirarlo ante una luz. Si se levanta la botella por etapas progresivas y sin sacudidas, hasta la forma vertical, el residuo se desliza a lo largo de la pared y se une en el fondo sin dispersarse o muy poco.

Las sustancias depositadas están constituidas frecuentemente de taninos envejecidos o de materia coagulada. No son de ninguna forma perjudiciales a la calidad del vino, al contrario, significan que este vino, antes de su embotellamiento ha sido despojado lo menos posible de sus constituyentes inestables y ha sufrido pocos tratamientos.

En ciertos casos, el residuo, en lugar de unirse, se adhiere a las paredes de la botella, y recubre interiormente todo el rededor. Se trata de materia colorante hidrolizada y es en general el signo de un vino muy viejo, vinificado a la antigua moda, en vendimia entera y sin descobajar la uva.

Los consumidores condicionados a las apariencias se muestran muy desconfiados a la vista de los residuos. Sin embargo, deberían ver ahí un signo de la edad del vino, de su calidad intrínseca y de la ausencia de manipulaciones preventivas, excepto si se trata de un tiraje reciente, donde significaría una negligencia en el trabajo del embotellador.

Lo importante para la degustación, es que las sustancias residuales permanezcan inmóviles en la botella y no sean agitadas por un destape brutal o una manipulación muy fuerte. Esta precaución, como se ha visto, no es difícil de observar en los vinos blancos, donde los residuos son pesados y caen rápido. Es menos cómoda en los vinos tintos, donde los residuos amorfos, o coagulados tienen siempre tendencia a dispersarse; de aquí el rol y la utilidad de los destapadores de tuerca, y de la decantación para el servicio del vino.

La decantación se efectúa de formas diversas según las regiones y los vinos. El método bordalés consiste en transvasar el líquido con precaución en una garrafa, y en interrumpir el transvasamiento cuando el residuo llega al nivel del cuello de la botella. Esto requiere de un cierto giro de mano, una buena fijeza del puño y un poco de entrenamiento. La botella vacía enseguida de su residuo, se enjuaga con agua, después con un poco de vino; se llena de nuevo con vino. En la intimidad, se deja el líquido en la garrafa, y la botella vacía a su lado.

Este procedimiento, además, aerea al vino y valoriza su *bouquet* en los instantes que siguen, pero esto no conviene más que a los vinos tintos ricos en tanino, únicos capaces de soportar vivamente este doble paso al aire (cosecha de Piemonte o Bordeaux). Para los vinos más suaves y de bastante edad, se decantará a la manera borgoñesa, es decir, sin transvasar, pero colocando la botella en una cesta vertidora el residuo hacia la base, evidentemente; se abrirá con un tirabuzón de tuerca y se servirá en las copas por inclinación progresiva del cesto.

Este procedimiento no es válido más que si la botella, tomada de la cava, ha sido transferida directamente de su pila al cesto, en la misma posición y sin ninguna sacudida. Sin embargo, el uso del cesto viene a ser una escena ridícula si la botella ha sido sacada de la cava bajo el brazo o con algunos molinetes del puño y destapada brutalmente entre las rodillas, antes de aterrizar en el cesto como un paquete en un vagón. Habiendo tratado estas introducciones sobre los turbios y residuos, no queda más que considerar los aspectos positivos de la limpieza y distinguirla de una de sus modalidades, que es la transparencia.

En los vinos blancos, transparencia y limpieza van a la par y son inseparables. En los vinos tintos, estos dos aspectos no son claramente idénticos. La limpieza se observa mirando el vino ante una luz; la transparencia se aprecia de otra forma, colocando la copa inclinada delante de un fondo blanco sobre la mesa.

Se dice que el vino es transparente si un objeto, un texto, un dibujo, o solamente los dedos del observador, examinados a través del vino sobre este fondo, son vistos con nitidez, como detrás de un vidrio de color (es la definición misma del diccionario).

Los vinos provenientes de cepas tintas de gran fineza, en estado puro, son siempre limpios y transparentes a la vez. Sin embargo, las cepas ordinarias dan vinos desprovistos de transparencia, que no dejan pasar ninguna imagen, aun si son de una limpieza perfecta ante una fuente de luz directa; se dice que son "mates". Entre estos dos extremos existen todos los grados de transición. En una forma general, para los vinos de cosecha, la transparencia va disminuyendo a medida que se avanza hacia el sur, salvo excepción climática corregida por la altitud. Si a un vino tinto muy transparente se le agrega una cierta cantidad de otro que no lo sea, esta operación basta para volver la mezcla más o menos mate. Esta observación es uno de los procedimientos más simples para reconocer o sospechar *a priori*, una adición de vino exótico en una cubada de gran cosecha. Al lado de estos efectos, la intensidad coloreada del vino y el matiz de su tinta, son todavía más ricos de indicaciones.

Vitral de uvas
blancas

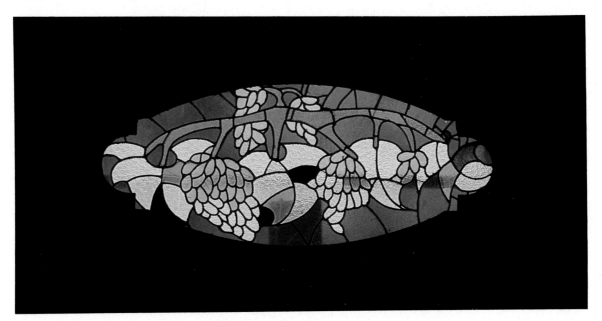

# INTENSIDAD COLOREADA Y MATIZ

En los vinos blancos estos dos fenómenos están bastante ligados y es difícil de apreciarlos separadamente. Pero en los vinos tintos pueden tomar significaciones distintas.

Vinos blancos: tendrán un color pálido con reflejos, en su límite corto de madurez, cuando el vino no ha sido emblanquecido por algún tratamiento enológico. No se puede decir que exista un color promedio de vino blanco, porque cada cepa tiene su matiz propio y cada año el grado de madurez y el estado de la uva, hacen variar la intensidad y el tinte. Partiendo de un promedio imaginario, un color intenso y de un bello oro, anuncia vino de vendimias sobremaduras. Es también una característica de los vinos licorosos que han alcanzado un envejecimiento respetable. Este tinte se acompaña de aromas de miel.

Pero pueden existir también signos desfavorables. Si con un color oscuro el matiz está manchado con reflejos cafés o grisáceos, se determinará a ciencia cierta una oxidación o una maderización más o menos avanzada, accidental o provocada. Para la definición del tinte de los vinos blancos se utilizará el término oro, si el aspecto es muy brillante y rico en reflejos, precisándolo por los diversos matices propios de este metal: oro pálido, oro fino, oro verde, oro amarillo, oro viejo, etc. Si con una limpieza correcta, el vino no produce luz y no irradia reflejos, se le dará solamente el vocablo amarillo con los calificativos secundarios que se le pueden agregar: amarillo pálido, amarillo claro o amarillo paja.

Vinos tintos: con la experiencia se comprueba que existe una relación entre la intensidad coloreada y los aromas del vino. Los vinos que no tienen un color intenso, tienen aroma (cuando existe) de tipo volátil, floral y afrutado.

Los vinos muy coloreados son, al contrario, ricos en *bouquet*, densos pero sin detrimento en la calidad de estos *bouquets*. Un rojo grueso, muy espeso, tiene a menudo un olor intenso, mientras que un tinte oscuro en una gran cosecha, anuncia *bouquets* sustanciales del género de frutas secas, especias, etc. Al examen visual, la frescura de un tinte rojo muy franco es significativo de la juventud del vino; los matices más o menos amarillos que se superponen, denotan un poco más de madurez gustativa; los tintes cafés son la marca de un estado viejo.

Para la designación de estos matices, se utilizarán como anteriormente analogías: el matiz rojo, cercano al púrpura cardenal, es un tinte espléndido, del mejor augurio, significativo de una ausencia total de oxidación. Adorna las grandes cubadas de vino nuevo, cuando fluye de prensas en su nacimiento. Los años en los que no existe, es decir cuando el reflejo violáceo hace falta, es ilusorio pensar en una carrera muy larga y prestigiosa para los vinos. Si por el contrario, se conserva durante el primer año de guardado, y si aún existe en el momento del embotellamiento, se puede esperar una longevidad excepcional para estas botellas. Cuando evoluciona, este matiz se desdobla hacia el lado rojo cereza, que es el tinte de crucero de los vinos en buen estado de conservación. Este estado es el apogeo de los aromas afrutados (frutas frescas). Cuando el color del vino es muy intenso, el matiz evidentemente no puede alcanzar las características precedentes. Se torna alrededor del

Copas de vinos
tinto y blanco,
con uvas

rojo grosella (jalea) y del rojo tomate (concentrado) con aromas de pequeñas frutas y hierbas secas. Además, se alcanzan los matices rojo ladrillo, después el café con tintes más o menos caramelizados.

Estas diversas indicaciones sirven para verificar si el aspecto del vino está en relación con su edad, o si se está degradando prematuramente.

*El vino es el profesor del gusto,*
*el libertador del espíritu*
*y el iluminador de la inteligencia.*

Anónimo

# SENTIDO DEL OLFATO

Después de haber examinado el vino con la vista y sacado nuestras conclusiones, nos disponemos a continuar nuestra degustación en un orden natural y necesario, por medio del sentido del olfato, que nos proporcionará una valiosísima información acerca de las condiciones del producto.

Filogenéticamente, en el hombre es uno de los sentidos más antiguos y sin embargo, comparado con el animal, un sentido bastante rudimentario. Esto se comprende perfectamente: al animal, el sentido del olfato le es esencial para la supervivencia, le advierte de la presencia del enemigo o del peligro, lo conduce a la fuente de su alimentación y hacia la pareja que ha de perpetuar la especie. Se sabe que ciertas especies de mariposas pueden detectar su pareja por el olor de sus secreciones desde una milla o más de distancia. Aun el hombre, en el cual comparativamente el olfato es un órgano rudimentario, puede detectar ciertas sustancias como el mercaptan o el almizcle artificial en una disolución de una parte en varios billones de partes de aire. Podemos adelantar desde luego que el olfato es un sentido muchísimo más agudo que el del gusto. En cuanto al alcohol etílico es 25 000 veces más agudo.

Prueba olfativa,
vista de frente

Es menester conocer, aunque sea mínimamente, los elementos anatómicos de dicho sentido de la olfación, y su desempeño funcional, a fin de comprenderlo mejor y aprovechar al máximo estos conocimientos en nuestra degustación.

El sentido del olfato consta esencialmente de tres elementos principales: las células olfativas u orgánicas sensoriales periféricas, las vías nerviosas y la corteza cerebral.

Las células olfativas se encuentran situadas en el epitelio olfatorio, el cual es una parte especializada de la mucosa que recubre interiormente las fosas nasales y se localiza en las partes superiores y laterales de la bóveda de las mismas. Su área total de superficie en ambas fosas nasales es de 500 mm². No es fácilmente visible y se requiere de métodos y equipo especial para poder visualizarlo. Este epitelio consta de tres tipos de células: basales, de sostén y células nerviosas bipolares que son el verdadero elemento nervioso sensorial periférico del gusto. Sembradas en el epitelio olfatorio se encuentran también unas glándulas que segregan un fluido seroso el cual baña toda la superficie del epitelio olfatorio. Son las glándulas de Bowman, y el fluido segregado sirve de solvente a las moléculas odoríferas a fin de que éstas puedan estimular a las células nerviosas.

Las células nerviosas son estimuladas merced a unos elementos filiformes o pilosos localizados en su extremo libre o distal y que están bañados por el fluido

Prueba olfativa,
vista de perfil

Prueba olfativa
en la planta de
elaboración

mencionado anteriormente. La sustancia odorífera, al disolverse en el líquido, estimula a estos elementos pilosos, los cuales penetran al interior de la célula olfativa en donde las sensaciones provocadas por la materia odorífera, se convierten en impulso nervioso, que transcurre por medio de un filamento nervioso hacia el extremo proximal o central de la célula y se junta con otros nerviecillos provenientes de las células vecinas, formando fibras nerviosas, las cuales penetran entonces al interior de la cavidad craneal a través de finas perforaciones, y hacen conexión con los elementos que constituyen las vías nerviosas centrales del sistema olfatorio, que conducen los impulsos o informes hasta la corteza cerebral.

Ésta los codifica, los interpreta y los archiva en forma indefinida constituyendo la memoria olfativa, de la cual podemos obtener instantáneamente, datos o recuerdos de olores, que asociados y comparados con sucesivas experiencias gustativas enriquecen nuestra capacidad de interpretación odorífera. Es precisamente en el momento en que la corteza cerebral interpreta los datos recibidos cuando tenemos conciencia de ellos en la forma de olores.

La información que nos proporcionan las células olfativas, frecuentemente se confunde con aquella proporcionada por la estimulación de las células del sentido químico común, así como las de la sensibilidad común, las cuales responden ante el estímulo de ciertas sustancias con sensaciones acres, irritantes o de frialdad, así como al contacto, la temperatura y dolor. Este tipo de células se encuentran ampliamente distribuidas en las mucosas nasal y bucal, y a menudo es muy difícil disociar estas sensaciones de las olfativas cuando los dos tipos de terminaciones nerviosas son estimuladas simultáneamente.

La adaptación sensorial: es una experiencia común por medio de la cual un olor desagradable, cuando se huele por primera vez, puede resultar insoportable, pero a medida que el estímulo odorífero se prolonga, el olfato se acomoda o adapta y el olor pronto llega a ser imperceptible, aunque persiste la capacidad para percibir otros olores. Esto sucede también con olores agradables. Después de un periodo de adaptación es necesario dejar pasar un lapso refractario para que la sustancia odorífera, en la misma concentración, pueda estimular al olfato con la intensidad inicial. Estos fenómenos son muy importantes y deberán recordarse durante nuestras experiencias gustativas.

Causas del deterioro del olfato: el uso de gotas nasales, así como la inspiración prolongada de ciertas sustancias aromáticas, volátiles o irratantes como las de la industria química, pueden deteriorar seriamente este sentido. El tabaco provoca igualmente una seria disminución de la capacidad olfativa, así como ciertas enfermedades nasales (la alergia o la rinitis crónica de tipo infeccioso). Ciertos tumores o lesiones del lóbulo frontal o de la corteza temporal, pueden causarnos perversión del olfato o pérdida del mismo (anosmia).

## CONOCIMIENTO DE LOS AROMAS

En el trabajo de la nariz, o más bien del olfato, la palabra aroma, se utiliza más a menudo que el término olor, porque es más específica y designa un olor natural y en general agradable.

La mayoría de los jugos de la naturaleza tienen un aroma propio. Una mandarina, una frambuesa, una toronja —y los jugos que se obtienen de ellas— tienen para el común de los mortales, un olor específico, simple en apariencia, perceptible a una cierta distancia y que basta para reconocer el producto, aun sin educación sensorial.

El jugo de uva, a diferencia de estos jugos, no posee o muy poco este aroma característico global e intenso, excepto en algunas veriedades de uva, naturalmente perfumadas: el Muscat, las cepas del valle del Rhin, y otras.

Esta particularidad, de que a diferencia de los jugos de frutas, el vino no sale en línea recta de la planta, sino que pasa por una transformación dirigida: (la vinificación) es una feliz casualidad, porque el jugo de la uva es uno de los productos más insípidos: se experimenta ahí únicamente azúcar y acidez. Pero, por una verdadera transmutación, la fermentación alcohólica, hace uno de los brebajes más ricos en aromas sutiles y originales.

Tampoco resulta un olor intenso y característico como en los productos simples, sino uno complejo que recibe sus elementos aromáticos de los dominios más diversos de la naturaleza, flores, frutos, granos, madera, hierbas, especias, etc., y éstos además, se encuentran diluidos frecuentemente en el límite de nuestras posibilidades de percepción; es relativamente cómodo cuando este olor está solo, bien caracterizado y se le conoce. Para los científicos que estudian estos fenómenos, no existen aromas simples. Los menos complejos, poseen siempre al menos cuatro o cinco componentes elementales; y los más ricos contienen docenas de constituyentes. Así, un aroma banal como el de la manzana, en análisis, no ofrece menos de cincuenta aromas básicos definidos.

## AROMA DE FLORES

Este aroma caracteriza principalmente a los vinos jóvenes y primeros, pero ciertas cepas están más relacionadas con este olor que otras. Estudios recientes han mostrado que de hecho este sistema va más allá de la simple analogía olfativa. Por microanálisis se han encontrado en los vinos, los constituyentes reales de los aromas designados por analogía. Se encuentran también en vinos de edad media, donde significan un buen estado de conservación.

Por coincidencia bastante curiosa, se constata que los aromas de flores blancas y amarillas dominan en los vinos blancos y los de flores rojas en los vinos tintos.

La acacia, el alheña, la madreselva, las flores de campo, son aromas comúnes en numerosos vinos blancos, mientras permanecen frescos y no se oxidan. La flor de sauco tiene una analogía demasiado conocida con el aroma de los vinos de Muscat, pero los Muscats más finos recuerdan principalmente el aroma de la rosa. La violeta es un componente típico de diversas cosechas tintas de Borgoña y de Beaujolais: Fleurie, Julienas, Savigny, Volnay Chambolle. La rosa, en los vinos tintos, es el atributo de las grandes cosechas bastante viejas, pero se manifiesta bajo matices muy diversos, como las variedades de la misma flor, y puede corresponder químicamente a productos tan diferentes como el alcohol fenetílico o el rodinol. En ciertos vinos muy viejos, este carácter puede ir hasta el matiz "rosa marchita". Esto no es más que una enumeración sumaria, que cada lector completará con sus propios descubrimientos.

## AROMAS DE FRUTAS FRESCAS

Su conjunto constituye lo que se llama comúnmente el afrutado de los vinos nuevos y jóvenes, pero ciertos aromas de frutas persisten por mucho tiempo durante el envejecimiento del vino, y como las impresiones florales, prueban la buena conservación. Otra similitud, como mencionamos anteriormente, los aromas de frutas amarillas son dominantes en los vinos blancos y los de frutas rojas en los vinos tintos.

Los olores de manzana son característicos de fondo en la mayoría de los vinos blancos. Este hecho no tiene nada de sorprendente porque la uva y la manzana tienen en común un ácido orgánico importante: el ácido málico, muy abundante en la mayoría de los vinos blancos. Este ácido da ésteres y derivados aromáticos que dan la originalidad a los olores de manzana. Pero existen matices muy perceptibles entre las diversas cualidades de este carácter. El aroma de manzana "amarillo oro" es exuberante y común, fácil de reconocer, marca los vinos blancos nuevos, aun en algunas ocasiones, en el curso de la fermentación. Es frecuente en los vinos de Savoya, el Muscadet y Chardonnay de Borgoña. Es también a menudo el carácter dominante de los vinos de primicia.

El carácter de la manzana más investigado, clasifica una etapa de maduración gustativa más avanzada. Es un poco más constante en las champañas provenientes de Pinot Meunier (blanco de uva negra), en las cosechas de Chablis, el Meisalut y ciertos vinos de la región bordalesa. Sin embargo, el sabor de manzana pasada, es un defecto inaceptable. Está acompañado casi siempre de un fuerte amarillantamiento del vino y de una oxidación casi irreversible.

El aroma de limón, muy sutil y a menudo olvidado en los análisis gustativos, se desarrolla en los vinos blancos embotellados que han conservado una cierta acidez y les comunica una sensación de frescura. La toronja se encuentra en ciertos años en vinos blancos muy ácidos y ligeramente herbáceos. Pero se trata de un olor fugaz, que no subsiste más allá de su estancia en la cava y desaparece después del embotellamiento. El albaricoque es un aroma de excepción, pero de una gran clase. No lo hemos encontrado más que en la cepa Viognier, cuya área de cultivo se limita a Condrieu, Chateau Grillet y el sector circundante.

En los vinos blancos y vinos tintos de primicia, se encuentra un aroma de plátano maduro que caracteriza también el agridulce. Su soporte químico es el acetato de isoamila en muy alta dilución, éste se forma durante la vinificación a baja temperatura y es la marca de las fermentaciones aromáticas. Es una dominante de los vinos provenientes de la maceración carbónica, pero en vinificación clásica, ciertas cepas están más predispuestas que en otras (Chardonnay, Syrah, Gamay...). No es extraño entonces que este carácter sea general en el Macon Blanco y tinto, principalmente en el Beaujolais. Pero aquí se enriquece de matices de violeta, de frambuesa y de diversas frutas según las cosechas. En los vinos tintos, es más fugaz que en los blancos y no persiste más allá de doce a dieciocho meses de conservación.

La frambuesa es uno de los caracteres más extendidos de los vinos tintos jóvenes, pero no parece constituir un factor elemental, porque se puede reproducir con una mezcla razonable de violeta y grosella. El casis (o grosella negra) es una constante de los vinos tintos de Borgoña y de los provenientes de la Pinot Noir sobre suelo calcáreo. Es un aroma apenas perceptible pero muy estable, que persiste largos años, mientras que el vino no esté afectado de oxidación. La grosella es también un carácter de la Pinot Noir y de Borgoña, sobre todo en caso de débil madurez, y en los registros inferiores de las apelaciones. La fresa es un aroma noble que enriquece comúnmente al Banyul y el Oporto, pero también a los vinos tintos clásicos, suaves y ya viejos. Se ha encontrado en vinos de Barbaresco, de Arbois tintos y en Côtes de Nuits. Es raramente un carácter de juventud, pero es el resultado de una maduración en botella correspondiente a la plenitud del vino.

La cereza es igualmente un gran aroma noble, raro en los vinos tintos jóvenes, a excepción de la cosecha Morgon y en Beaujolais. En los vinos tintos de guardia, el aroma de cereza negra se forma de preferencia cuando son bastante suaves, ricos en color y bastante sostenidos en tanino; está raramente solo, pero participa en todo un conjunto de aromas ricos. La cereza salvaje es un matiz aromático, tan pronunciado en el terruño de Chambertin que una de las cosechas lleva su nombre, Griottes-Chambertin. Esta lista, como la de las flores, no tiene nada de limitativa y cada uno deberá agregar las adquisiciones de sus propias experiencias.

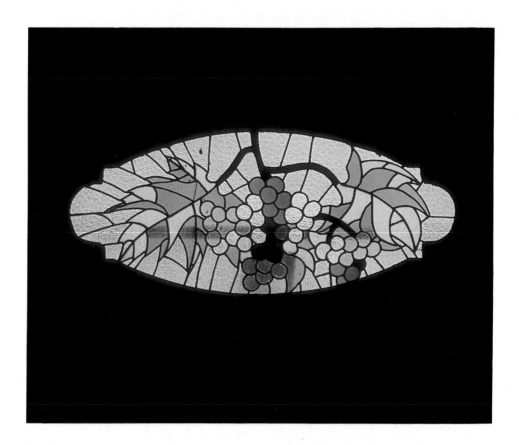

Vitral de uvas
blancas

## AROMAS DE FRUTAS SECAS

Siguiendo por orden cronológico a los de las frutas frescas, no se manifiestan en general más que durante la evolución del vino en botellas. Salvo oxidación prematura, como es el caso del sabor conocido como de "ciruela pasa", cuyo carácter, propio de los vinos tintos, recuerda bastante el principio de caramelización de este producto seco. Denota en general una mediocre conservación proveniente del vino mismo o de un embotellado defectuoso. Cuando es ligero y sin gravedad y el vino está bien constituido, puede reabsorberse espontáneamente a la larga, durante el reposo en botellas.

Más distinguido es el carácter de higo seco, que proviene, según nuestras observaciones, de uvas sobremaduras o ligeramente marchitas, a las que se les dice precisamente "hígadas". Se le encuentra a menudo en el oporto o en los vinos tintos viejos. En los vinos de licor españoles, no es extraño, pues un antiguo uso popular consistía en agregarles higos. En los vinos tintos franceses, es una característica de algunas grandes cosechas, que son recogidas en una madurez excepcional.

Vendimia y recolección de uvas

En los vinos blancos los aromas de frutas secas son principalmente la avellana y la almendra asada. La primera, en general, está asociada a un color ámbar y a un parentesco con la mantequilla fresca. La segunda es una evolución casi sistemática de los olores de sulfuros que se han manifestado durante la fermentación del vino. Sea lo que fuere, son aromas de gran clase, ligados a las mejores cepas de vino blanco. No dejan de ampliarse en el curso del envejecimiento en botellas.

## AROMAS DE HIERBA Y FOLLAJE

Existe una forma desagradable, llamada "olor herbáceo", es decir, un olor de hierba verde machacada, que es análogo al del hexanol y al de sus derivados que parece provenir de vinificaciones defectuosas. Este carácter es un defecto y no interesa al degustador como tal. Pero hay una colección de aromas análogos a los de órganos verdes pertenecientes al reino vegetal, que aportan una nota original a diversas tierras.

El helecho, que tiene un parentesco en olor con el roble, es un aroma un poco severo, discreto pero muy distinguido, que valoriza las cosechas blancas de Puligny Montrachet y distingue netamente su límite con sus vecinos. La hoja de casis, es un olor sorprendente, que recuerda a la valeriana, y se manifiesta incidentemente en los vinos blancos nuevos y todavía ásperos, dotados de una acidez viva. Lo hemos encontrado en los vinos de Pouilly-Fumée, algunas veces antes de su fermentación maloláctica, pero éste desaparece en el envejecimiento.

La menta es también un herbaje que valoriza a los grandes vinos, en el estado de vestigios apenas sensibles, pero el matiz es un poco diferente en los vinos tintos. La menta verde es más bien el atributo de los blancos, donde asociada al limón, contribuye a la frescura del aroma; aparece en la juventud del vino y se conserva bastante bien durante el envejecimiento. Sin embargo, la menta pimientada, es propia de los vinos tintos cuya evolución gustativa está ya avanzada, con un *bouquet* rico y complejo, donde una dosis muy pequeña, aporta algo al aroma. El olor a pino, es igualmente un aroma severo, pero distinguido, que se encuentra muy a menudo en los vinos tintos de viñedos cultivados en la arena. En el estado de vestigio confiere a estos vinos una gran nobleza de estilo, que sólo apreciará una nariz muy educada.

El tabaco se manifiesta en efluvios sutiles y apenas perceptibles en las grandes cosechas de tinto provenientes de buenas milésimas y aptas para un envejecimiento prolongado. Son principalmente matices de cigarro, es decir, de tabaco seco o poco elaborado. La hoja de nogal tiene un olor muy particular que es análogo al de los arbois blancos y participa en el aroma de los vinos amarillos (Chateau-Chalon, Jerez, Madeira y Chianti). Pero el reino vegetal es vasto y sus esencias innumerables. Las anotaciones precedentes, no son más que una pequeña muestra de esta colección que el lector puede ampliar por su cuenta.


## OLORES DE ESPECIAS AROMÁTICAS

Bajo estos vocablos se comprenden todos los ingredientes usuales que sirven para condimentar la cocina, pastelería y repostería. La vainilla, como aroma de fondo, es muy utilizada en la repostería (dulces, chocolates, helados) y en la pastelería (pasta para *choux*, azúcar vainillada, crema pastelera, etc.); se encuentra muy extendida en todos los vinos blancos y tintos, cuando éstos han sido criados en toneles de roble. Esto se explica, si se sabe que uno de los principales aromas de la madera de roble, es un derivado de la vainilla, la etilvainilla, que encaja marcadamente con la mayoría de los vinos y termina por integrarse a su *bouquet*. Además se encuentra este carácter en el cogñac y también en las cáscaras secas de almendras y en las maderas de durazno que servían antes para mejorar los aguardientes de uso doméstico. El aroma de vainilla es tan constante y tan habitual en un gran número de vinos, que la mayoría de los neófitos pasan a su lado y olvidan mencionarlo en sus primeros análisis sensoriales.

La regaliz u orozus, que tiene poco olor y se reconoce principalmente en la retro-olfacción, es una marca distintiva de los vinos del terruño de Gevrey Chambertin y de diversas cosechas de Beaujolais. El anís, que pertenece también a la repostería, es algunas veces tan pronunciado en ciertos vinos del Midi de Francia, que uno se pregunta entonces si un cavista negligente no guardó su vino en una vieja botella de ajenjo. En este caso –y se encontrará el mismo fenómeno con las especias– es sorprendente observar el parentesco que existe entre el *bouquet* de los vinos o el de las esencias vegetales espontáneas que surgen en las mismas regiones. Se ha notado ya esta particularidad, a propósito del aroma de pino en las cosechas del Médoc, cercanas a los bosques landeses y perfumes de frutos en los vinos de Borgoña y del Valle del Rhône. En el mismo caso, entre los aromáticos de cocina, el laurel caracteriza al Châteauneuf-Du-Pape, a los vinos de Rousillon y de Cataluña; el tomillo y la albahaca en los vinos de Haut-Provence, de la colina de Ventoux y de Vaison.

La pimienta, a pesar de ser exótica, existe en efluvios infinitesimales, ya sea como fenómeno del año, como característica de cepa o como constante de un terruño. Como aroma sutil es frecuente en el Syrah y en Los Cabernets que provienen de suelos apropiados, marca de manera constante y sutil los terruños de Pommard, lo mismo que las grandes cosechas de la Rioja y las de Piemonte (Barolo, Barbaresco). Vecino de la pimienta, pero más común y más intempestivo, el jengibre se manifiesta frecuentemente en los vinos de las colinas del valle bajo del Rhône. Algunas veces en los de las colinas del Grad, con una intensidad casi desagradable.

Por un envejecimiento prolongado, ciertos vinos tintos pertenecientes a la Hermitage de Châteauneuf, de las colinas de Rousillon y los vinos españoles, adquirieron olores netamente especiales, donde se encuentran además de los aromas mencionados anteriormente, el clavo y la nuez moscada en grados diversos. La canela se manifiesta en ciertos vinos blancos muy viejos, integrada a un *bouquet* rico y complejo.

Queda un condimento de alta gastronomía, del cual el vino comparte también su magnificencia: la trufa. Después de un largo periodo de evolución en botellas, este aroma es el privilegio de las grandes cosechas que permanecen muchos años en toneles con sus heces de fermentación y que las han reasimilado. Es una firma de las grandes botellas. Menos frecuente en las cosechas blancas que en las tintas puede sin embargo, alcanzar una intensidad excepcional en el Montrachet o el Corton Charlemagne. Todo este registro de aromas especiados es ciertamente lo que contribuye a dar a los grandes vinos del mundo entero su rareza, su esplendor y su originalidad.

Antes de dejar el universo vegetal, y para tratar de ser completos, habría que citar también todo tipo de olores marginales que no se dejan fácilmente clasificar. Retendremos únicamente las resinas nobles o balsámicas, que son matices diversos de grandes Bordeaux tintos, y las impresiones de hoja muerta, de *humus*, que abundan en las cosechas superiores de Vosne-Romanée.

Prensado de uvas hecho por seres mitológicos

## AROMAS ANIMALES

Su presencia es una de las mínimas sorpresas de la degustación de los vinos, y no siempre es experimentada favorablemente, al menos por algunos *amateurs* no advertidos.

El ámbar es el aroma de fondo de los vinos blancos de Chardonnay cuando alcanzan una buena clase; está tan extendido que a menudo, como el aroma de vainilla, pasa al lado y se olvida anotarlo. El almizcle acompaña a menudo a la trufa en las grandes cosechas de tintos. El olor de cuero es una manifestación en los vinos tintos ricos en tanino; este fenómeno no tiene nada de sorprendente, si se toma en cuenta que el cuero se obtiene de la impregnación de tanino en las proteínas de una piel; se produce, sin duda, una reacción idéntica en la combinación de los taninos del vino y las proteínas contenidas en las heces de fermentación.

*Familia campesina.*
Louis le Nain,
Museo del
Louvre, París

*Entre todos los placeres puramente sensoriales que pueden pagarse con dinero, el que proporciona el vino, el placer de saborearlo y el placer de apreciarlo, ocupa quizás el grado más alto.*
*El conocimiento del vino y la educación del paladar pueden ser fuentes de grandes alegrías de una vida entera.*

ANÓNIMO

# SENTIDO DEL GUSTO

Existen cuatro sabores primarios, simples o elementales: dulce, ácido, salado y amargo; aunque hay fisiólogos que agregan otros dos que son el alcalino y el metálico. Los otros varios sabores que experimentamos son mezclas de dos o más sabores primarios o combinaciones primarias mezcladas con sensaciones que se originan de la estimulación de los nervios de la sensibilidad ordinaria o común (temperatura, tacto y presión) y/o los nervios de la sensibilidad química común, o sea, aquella provocada por diversos tipos de irritantes químicos.

El jengibre se reconoce no solamente por su sabor, sino por la sensación quemante a través de los nervios de la sensibilidad ordinaria; y podríamos agregar también, por su olor. Muchas otras sustancias tales como grasas y aceites así como condimentos picantes, son reconocidos no solamente por su sabor, sino que también por los otros sentidos.

El tanino, que es uno de los componentes del vino, es uno de los ejemplos de sustancias que apreciamos por la combinación de las tres clases de estímulos com-

Degustación del
vino

binados; produce un sabor amargo en el tercio posterior de la boca y una sensación de astringencia tanto en la lengua como en todas las mucosas de la boca por la estimulación de la sensibilidad común y la sensibilidad química común. Ya vimos en el capítulo anterior que una cantidad equilibrada de tanino en el vino, es necesaria y deseable, pero que, sin embargo, en exceso nos provocará una sensación un tanto desagradable.

Es muy importante señalar que muchos de los más finos sabores son en realidad sensaciones de olfación, que durante el proceso de degustación pasan a las fosas nasales en forma volátil a través del espacio rinofaríngeo, o sea aquel que por atrás y arriba del paladar comunica la boca con la cavidad nasal, confundiéndose de esta manera con frecuencia el sentido del olfato con el del gusto. Por ello, durante el catarro común la sensación del gusto es muy elemental: dos sustancias o alimentos de la misma consistencia se confunden, como es el caso de purés de manzana y pera, o de nabo y papa. En sentido inverso, ciertas sustancias que nosotros creemos oler, son en realidad gustadas en la boca, merced a sus elementos volátiles, que llegan a la boca a través del aire que respiramos.

El sentido del gusto en el ser humano y vertebrados terrestres se encuentra localizado en la boca, particularmente en la lengua. Los elementos anatómicos que intervienen en este complicado sentido son: elementos sensoriales periféricos, vías nerviosas y corteza cerebral. Los elementos sensoriales periféricos son los encargados de recibir directamente el estímulo de la sustancia sápida; las vías nerviosas trasmiten dichos estímulos a través de la complejidad del sistema nervioso central y finalmente entregan su información a la corteza cerebral, la cual se encarga de interpretar, asociar y archivar la información recibida.

En el hombre, los elementos sensoriales periféricos del gusto están distribuidos principalmente en la lengua, aunque algunos se encuentran en la membrana mucosa que recubre el paladar, la boca, la epiglotis y las partes superiores de la laringe. El número aproximado de estos elementos es de 9 000, distribuidos en las llamadas papilas gustativas de las cuales existen tres tipos diferentes: las filiformes, las fungiformes y las calciformes. De ellas, las que contienen elementos neurosensoriales gustativos son principalmente las fungiformes y las calciformes; las filiformes casi no contienen dichos elementos.

Las papilas gustativas están distribuidas de un modo peculiar: las filiformes se encuentran principalmente en el dorso de la lengua, en sus dos tercios anteriores y son unas pequeñas estructuras cónicas que contienen los elementos de la sensibilidad ordinaria y de la sensibilidad química común, aunque tanto la primera como la segunda se encuentran repartidas generosamente en el hombre en todas las superficies húmedas de la nariz, boca y conjuntiva ocular.

Los elementos sensoriales del gusto se encuentran repartidos principalmente, como ya dijimos anteriormente, en las papilas fungiformes y en las calciformes; su número que varía de 5 a 18 en cada papila, siendo más abundantes en las segundas.

Las papilas fungiformes son un poco mayores que las filiformes y se encuentran principalmente en las partes laterales de la lengua y en la punta de la misma. Las llamadas calciformes son aún mayores y ocupan el tercio posterior de la lengua,

*El banquete de la Guardia Civil.* Bartholomens Van der Helst, 1648, Rejksmuseum, Amsterdam

siendo particularmente notables y mayores aquellas que en número de 6 a 12 se sitúan en forma de una V, con el vértice dirigido posteriormente, constituyendo la llamada V lingual.

Los elementos sensoriales gustativos que se encuentran en las papilas constan esencialmente de unas células alargadas, colocadas perpendicularmente al epitelio basal y que tienen en su extremo periférico o lingual una proyección pilosa encargada de recibir el estímulo gustativo. Este elemento piloso se proyecta en el interior de la célula, en donde se encuentra una complicado mecanismo de elementos anatomobioquímicos que se conectan a su vez con finas arborizaciones, que se proyectan, vía central en forma de finísimos filamentos nerviosos, los cuales se unen con sus semejantes para formar los nervios gustativos. Estas células sensoriales se encuentran entremezcladas con otras llamadas de sostén y dispuestas en tal forma que constituyen una cavidad oval provista de un poro gustativo, a través del cual se proyectan los elementos pilosos mencionados y por el que penetran las sustancias sápidas al interior. Junto a la apertura del poro gustativo, existen unas glándulas llamadas de Von Ebner, productoras de una secreción acuosa que sirve para diluir, lavar y preparar el elemento sensorial para recibir un nuevo sabor.

El gusto es un sentido químico, o sea, que los elementos sensoriales del mismo responden adecuadamente al estímulo. A su vez, para que una sustancia despierte una sensación de sabor, debe estar disuelta o disolverse en la saliva. Un sólido colocado en una boca completamente seca carece de sabor. Por esta razón, los elementos sensoriales del gusto se encuentran solamente en una superficie húmeda confinada a la boca.

Los sabores primarios no se detectan con igual intensidad en todas las partes de la lengua. Aparentemente, existen diferentes tipos de elementos sensoriales para estos sabores primarios y su distribución no es uniforme en la mucosa lingual. Los elementos sensibles a los materiales dulces y salados son más numerosos en la punta de la lengua; los que responden a los ácidos están distribuidos principalmente en los márgenes, mientras que los que captan el amargo se encuentran principalmente en la base de la lengua y en la región de la epiglotis. Algunas sustancias, como el salicilato de sodio y la ramnosa estimulan dos tipos de elementos, produciendo por ejemplo un sabor dulce cuando se aplican a la punta de la lengua, pero al deglutirse estimulan las papilas de la V lingual y saben amargas. Otras sustancias, como los sulfatos de sodio y magnesio causan sabor salado en la punta y amargo en la base de la lengua.

Las papilas de la V lingual solamente tienen receptores que captan el sabor amargo. De las papilas fungiformes, algunas responden a los compuestos dulces y salados; otras a los ácidos y dulces y otras al amargo y ácido. Hay filiformes que son insensibles a los sabores. Todo esto nos indica que hay receptores distintos y que diferentes tipos de ellas se encuentran en una misma papila fungiforme.

## LA SENSACIÓN SALADA

Cuando se prueba agua adicionada con un poco de sal de cocina, se experimenta una sensación muy particular, principalmente en la punta de la lengua y parte de sus bordes laterales y se acompaña de una secreción fugaz de saliva. Estos efectos caracterizan el sabor salado o salinidad. Esta es casi inexistente en el vino, como en la mayoría de los vegetales, pero no es una razón para ignorarla, ya que se puede presentar en algunos casos, como la manzanilla de San Lucar.

Vitral de uvas rosadas

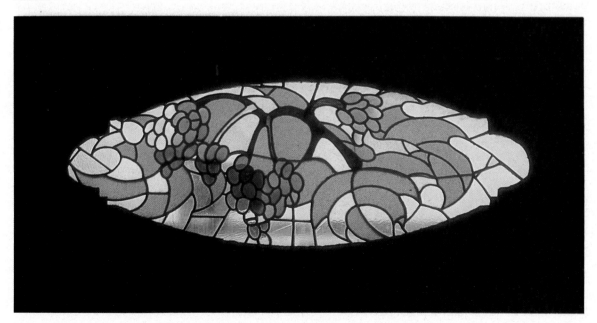

## LA SENSACIÓN AZUCARADA

La degustación de un vaso de agua adicionado con azúcar, crea una impresión característica en la punta de la lengua, que es su zona de reconocimiento, y produce una secreción de saliva espesa y viscosa. La mayor parte de los vinos son secos y no contienen azúcar (excepto algunos blancos y los vinos licorosos), pero algunos de sus constituyentes crean una sensación parecida a la del azúcar, que se percibe globalmente de la misma forma; estos son: el alcohol, el glicerol, rasgos de fructuosa y de pentosa, en su dilución natural. El término de azucarosidad, bajo el cual se ha codificado el sabor, nos parece impropio para nuestro uso y se prefiere designar el conjunto de sensaciones dulces del vino por el término suave o dulce.

## LA SENSACIÓN ÁCIDA O ACIDEZ

Se le puede reconocer mezclando a un vaso con agua algunas gotas de un ácido orgánico natural (cítrico o tartárico). Esta sensación afecta a las zonas laterales de la lengua, en la parte trasera de la zona de salinidad y hasta la zona de percepción azucarada; irrita ligeramente las mucosas internas de las mejillas, aprieta las encías y hace segregar una saliva abundante y muy fluida. Su reconocimiento es fácil, y ya adquirido por la mayoría de los consumidores que saben reconocer un fruto demasiado verde o una ensalada avinagrada. El vino es rico en ácidos diversos que cooperan para crear su sabor ácido, en una gama bastante extensa que va del verdor agresivo en el exceso, hasta la suavidad en caso de insuficiencia.

Vitral de uvas
rosadas

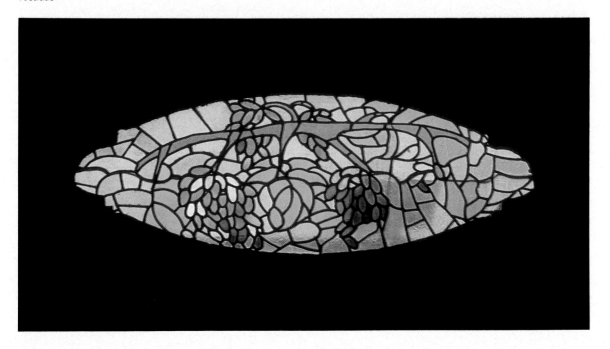

## LA SENSACIÓN AMARGA

En el laboratorio se crea la sensación amarga por medio de algunos miligramos de una sal de quinina en un litro de agua. Esta sensación como tal, y tomada en este sentido estricto de la palabra, no existe en el vino, sino que caracteriza un defecto. Pero algunos de los componentes del vino, los taninos, están próximos a la amargura y a la astringencia como ya lo mencionamos anteriormente. La sensación amarga del tanino se hace más evidente si éste se diluye en una solución alcalina, mientras que en una solución ácida la astringencia sobresale. Ya mencionamos que en la boca la amargura afecta principalmente el tercio posterior de la lengua, especialmente la zona de la V lingual y no parece afectar a la salivación, mientras que la astringencia crea una sensación de rugosidad sobre todas las mucosas de la boca. De aquí en adelante designaremos estas impresiones para el uso particular del vino, bajo los nombres de astringencia, sensación tánica o simplemente tanino.

Vitral de uvas
blancas

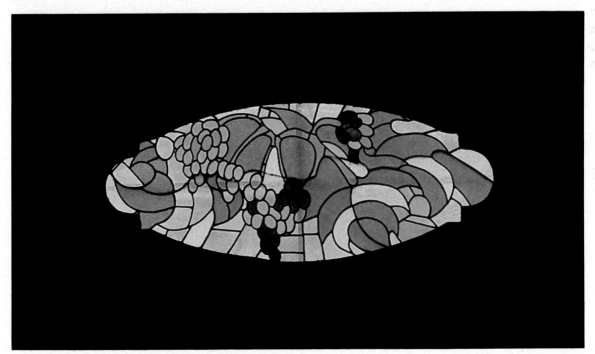

## OTRAS SENSACIONES

Además de los sabores, en el sentido estricto definido anteriormente, la boca está afectada por otras sensaciones, de las cuales las más importantes para nosotros están ligadas ya sea a la temperatura o a la presencia de gas carbónico.

La temperatura del vino se corrobora utilizando un termómetro común

## TEMPERATURA

Tiene su efecto propio, que es el de helar los dientes y las encías si el vino está demasiado frío, o de entorpecer las vías respiratorias si está demasiado caliente. Pero además modifica profundamente la percepción de los sabores. Si se comparan dos vasos de un mismo vino blanco, de los cuales uno permanece a la temperatura ambiente (aproximadamente 20°C) y el otro se ha puesto a enfriar (entre 5° y 10° C), el vino frío se apreciará más ácido y el tibio más suave. Temperaturas más bajas le quitan sensibilidad gustativa a la lengua hasta llegar a la anestesia por enfriamiento.

## GAS CARBÓNICO

En los vinos tranquilos, es el consejero íntimo de la degustación, jamás aparente, pero siempre activo. Por sus diversas fermentaciones el vino hereda una pequeña dosis de gas carbónico que se encuentra disuelto, y que los diversos trasiegos, bombeos y embotellamientos no eliminan totalmente. Este residuo natural es el mejor efecto sobre la degustación, porque valoriza los sabores y los aromas. En laboratorio, las pruebas efectuadas para descarbonizar los vinos terminan en una simpleza gustativa desolante. Pero el gas carbónico viene a ser impertinente cuando se deja percibir, es decir, traspasa la saturación natural (más a menudo después de un ligero exceso de fermentación). Forma entonces un velo de burbujas microscópicas en la superficie del vino cuando se vierte de una copa a otra y algunas veces se forma una estrella perlada en la superficie de las copas. En la boca produce una sensación rugosa e irritante y hace decir al consumidor no advertido que el vino pica, aunque esto no tiene nada que ver con el verdadero picante.

Por una discriminación bastante curiosa, el exceso de gas carbónico está bien aceptado en los vinos blancos, bajo los nombres de perlantes o chispeantes, pero da lugar a reacciones muy vivas cuando se le encuentra en los vinos tintos.

Es interesante señalar que el sentido del gusto puede ser obtenido por sustancias que corren por el torrente sanguíneo, por ejemplo, la histamina intravenosa provoca un sabor metálico, la glucina un sabor dulce y en la ictericina puede existir un sabor amargo debido a la alta concentración de sales biliares en la sangre. La descarga de una corriente eléctrica en la lengua produce una sensación de sabor metálico, pero puede ser también ácida o alcalina, dependiendo del sentido de la corriente si solamente uno de los electrodos es colocado en la lengua, mientras que el otro se coloca en otra parte del cuerpo. El sabor evocado de este modo sería provocado por electrólisis, aunque en un toque eléctrico corto el sabor metálico es debido exclusivamente al toque eléctrico pues no hay oportunidad de producirse acción electrolítica.

*Interior de una posada romana.* Bartolomeo Pinelli, 1820

## SABOR RESIDUAL Y CONTRASTE DE SABORES

El sabor residual de una sustancia ha sido ampliamente discutido por los fisiólogos y se ha pensado que tiene un paralelismo con la persistencia de imágenes después de una fuerte estimulación visual; pero lo más probable es que en realidad, lo que ocurre es la continuación de la acción del agente estimulante, el cual habiendo entrado al polo gustativo es removido con dificultad por la saliva o por el enjuagado de la boca con agua. Sin embargo, un verdadero ejemplo de persistencia de sensación semejante a la de las imágenes, es la del sabor metálico residual después de haber producido una simple descarga eléctrica en la lengua. El sabor residual en el vino es una de las características que en forma positiva o negativa nos servirán para calificarlos.

## CONTRASTES SUCESIVOS DE SABORES

Un sabor dulce es mayormente apreciado si previamente hemos estimulado a los receptores con un sabor salado o amargo. Del mismo modo, los sabores ácidos y dulces se intensifican mutuamente. Aun el agua destilada parece saber dulce después de haber enjuagado la boca con una débil solución de ácido sulfúrico, así como el jugo de limón se juzga mucho más ácido si es probado después de un estímulo dulce. Otra experiencia que puede entrar en el capítulo de contrastes sucesivos es la del sabor dulce que se puede experimentar al fumar tabaco después de haberse enjuagado la boca con una solución de sulfato de cobre o sabor amargo si la boca fue tratada con una solución de nitrato de plata.

## CONTRASTES SIMULTÁNEOS

Si frotamos un borde de la lengua con sal común, la sensibilidad a los estímulos dulces del borde opuesto, se incrementa. La sal y el ácido también muestran constrastes simultáneos, pero el fenómeno no puede demostrarse para el sabor amargo.

## ACOSTUMBRAMIENTO Y AGOTAMIENTO

Un fenómeno de observación común en la fisiología es aquel de la desaparición progresiva de la respuesta de un órgano receptivo neurosensorial ante la persistencia de un estímulo y/o el acostumbramiento de dicho órgano al mismo. Aplicando estos conocimientos de contrastes sucesivos, contrastes simultáneos y acostumbramiento, a nuestro proceso de la degustación, obtendremos mejores y más variados resultados. La estimulación excesiva, la irritación o la acción de ciertos elementos, anulan temporalmente el sentido gustativo.

*Copa de vino
verde.*
Konchalovsky,
1933, Moscú

En resumen, resulta importante recordar que durante una degustación, aunque intervienen diferentes elementos neurosensoriales, como son los de la sensibilidad común y los de la sensibilidad química común, así como los del olfato, todos ellos en forma muy particular, proporcionan la información que todos estos elementos son enviados a la corteza cerebral durante la degustación son "filtrados" por mecanismos muy complejos a través del sistema nervioso central y finalmente asociados, interpretados y archivados por la misma. La corteza cerebral nos proporciona información en forma inmediata, haciéndonos conscientes del sentido del gusto, pudiendo en cualquier momento ulterior proporcionarnos información (recuerdo o memoria gustativa) que nos será de enorme utilidad en sucesivas degustaciones.

*Para el vino no hay término fijado,
pero no bebas nunca hasta la embriaguez.*

CONFUCIO

Catador de vino.
Litografía de
Claude Thielly,
del siglo XIX

El vino regocija el corazón del hombre,
y la alegría es la madre de toda virtud.

GOETHE

# 8. La cata y su calificación

El ejercicio de Cata consiste en buscar las imperfecciones de los vinos finos y los atributos de los vinos modestos. Se debe disfrutar el vino común (de Pasto), que es más para pasar que para catar. Deberemos, por lo tanto, aprender que hay que esperar de un vino, estando alerta de los cambios continuos, de él, en la copa.

El aspecto es su apariencia, mientras que su gusto es la combinación de nuestra propia nariz y de nuestro propio paladar.

Para efectuar un Ejercicio de Cata tenemos que usar nuestros sentidos, y estar alerta para encontrar defectos o virtudes en los vinos que estamos catando.

# FORMA DE CALIFICACIÓN:

| | | | |
|---|---|---|---|
| 0-4 | MALO, DESAGRADABLE | 14 | BUENO |
| 4-8 | MEDIOCRE, INDIFERENTE, POBRE | 16 | MUY BUENO |
| 10 | PASABLE, TOLERABLE, REGULAR | 18 | EXCELENTE |
| 12 | RAZONABLEMENTE BUENO | 20 | EXTRAORDINARIO |

# EL SISTEMA DE CALIFICACIÓN:

## APARIENCIA

### Claridad
sucio
turbio
apagado
claro
brillante
oscuro
fulgurante

### Viscosidad
delgado
medio
piernas
sábana

### Efervescencia
burbujas finas
burbujas medianas
burbujas grandes
muchas burbujas
(duraderas)
pocas burbujas o
efervescencia
de poca duración

## COLOR

### Intensidad
pálido
medio
profundo

### Tintos
púrpura
granada
rubí
ladrillo
granate
caoba
rojo café

### Blancos
claro
amarillo verdoso
amarillo pálido
amarillo paja
oro
oro viejo

## OLOR

### Aroma
limpio
aromático
fresco
amaderado
olores extraños
a corcho

### Bouquet
cedro/heno
terroso
pasas

### Intensidad
ligero
apagado
penetrante
profundo
superficial
sin descripción

## SABOR

### Cuerpo
aguado
ligero
regular o medio
pesado
muy completo
amielado

### Viscosidad
baja
balanceada
alta

### Espumosos
Extranatural
natural
extraseco
seco
semiseco
dulce

### Otros vinos
seco
medio seco/medio dulce
dulce
intensamente dulce
amielado

### Temperatura
baja
balanceada
alta

## ACIDEZ

Ninguna
Flojo
Carnoso
Balanceado
Pasado

## ASTRINGENCIA (TANINO)

Ninguna
Poca
Balanceada
Pasada

## BALANCE

Robusto
Delgado
Suave
Dócil
Elegante
Distinguido
Redondo

## SABOR POSTERIOR

Muerto
Entregado
Empalagante
Aeroso
Burdo
Áspero

# EVALUACIÓN SENSORIAL COMPLETA:

## APARIENCIA (ASPECTO)

**Claridad:** Puede indicar si fue o no filtrado el vino, decantada, su calidad y como fue manejada la botella.

*Sucio:* Hay elementos extraños en el vino o la copa, como sedimentos, corcho, partículas de la cápsula de plomo, aceite o polvo.

*Turbio*
*Apagado*
*Claro*
*Brillante*
*Oscuro*
*Fulgurante*

**Viscosidad:** Se refiere al contenido de glicerina y alcohol. Normalmente es un signo de calidad para el presente o para el futuro del vino.

*Delgado:* Cuando no deja nada en las paredes de la copa.
*Medio:* Cuando hay poca apreciación de glicerina.
*Piernas:* Cuando hay escurrimiento en las paredes de la copa.
*Sábana:* Cuando se cubre la copa totalmente.

**Efervescencia:** Se le encuentra en los vinos espumosos o en los vinos blancos con fermentación secundaria.

*Burbujas finas:* Quiere decir que es un espumoso de calidad.
*Burbujas medianas:* Signo característico de los vinos espumosos de California.
*Burbujas grandes:* La mayoría de los vinos espumosos o carbonatados.
*Muchas burbujas (duraderas):* Vino de calidad.
*Pocas burbujas o efervescencia de poca duración:* Calidad dudable.

**COLOR:** Puede indicar el grado de madurez, almacenaje, tipo de vino, origen, etc.

**Intensidad:** Se refiere a la profundidad del color, pudiendo ser:
*Pálido*
*Medio*
*Profundo*

## Tintos
*Púrpura*
*Granada*
*Rubí*
*Ladrillo*
*Granate*
*Caoba*
*Rojo café*

## Blancos
*Claro*
*Amarillo verdoso*
*Amarillo pálido*
*Amarillo paja*
*Oro*
*Oro viejo*

## OLOR
### Aroma
*Limpio*: Carente de olores extraños.

*Aromático*: Con un olor ligeramente concentrado a especias, hierbas o frutas.

*Fresco*: Vinos sin olores complicados, que son frescos al tomarlos.

*Amaderado*: Vinos que han estado demasiado tiempo en barrica.

*Olores extraños*: Cualquier olor poco usual.

*A corcho*

### Bouquet
*Cedro/heno*: Fresco

*Terroso*: Olor a tierra recién arada.

*Pasas*: Vinos elaborados con uvas afectadas por Brotytis.

### Intensidad
*Ligero*: Vinos espumosos sin burbuja, vinos de poco carácter.

*Apagado*: Vino que ha perdido parte de su aroma y bouquet.

*Penetrante*: Es aquel vino con aroma y bouquet que penetran los sentidos.

*Profundo*: Con aroma y bouquet que perdura.

*Superficial*: Olor que no es suficiente para una apreciación.

*Sin descripción*: Que no se puede identificar.

**SABOR**: Existen tres elementos en el gusto, una parte olfatoria (vía retronasal), una sensibilidad química en la lengua y una sensación de tacto y temperatura.

**Cuerpo**: Es la acción por la cual sentimos el peso y textura del vino en la boca, su riqueza, su fluidez y el resultado del alcohol relacionado con la dulzura y también el contenido de glicerol.

*Aguado*

*Ligero*

*Regular o medio*
*Pesado*
*Muy completo*
*Amielado*

## Viscosidad
*Baja*
*Balanceada*
*Alta*

## Espumosos
*Extranatural (extrabrut):* No tiene azúcar.
*Natural (brut):* Contiene de 2.5 a 5% de azúcar.
*Extraseco:* de 2 a 3% de azúcar.
*Seco:* de 5 a 7% de azúcar.
*Semiseco:* de 7 a 10% de azúcar.
*Dulce:* de 10 a 12% de azúcar.

## Otros vinos
*Seco:* No tiene dulzura.
*Medio seco/medio dulce:* No dulce, aunque con un toque de suavidad, amable.
*Dulce:* La provocada por sus componentes naturales.
*Intensamente dulce:* Una cantidad desagradable de dulzor, provocado normalmente por ácido insuficiente para mantener un balance.
*Amielado:* Empalagante, pegajoso, enojante, etc.

## Temperatura
*Baja*
*Balanceada*
*Alta*

**ACIDEZ (AGRIO):** Los ácidos tartáricos y málicos no volátiles, dan al vino cierta frescura, viveza y fragilidad; la falta de ello deja al vino plano.

**Ninguna**

**Flojo:** Acidez insuficiente. Usualmente demasiada fruta, vino blanco mal elaborado. Estos vinos no mejoran con el tiempo.

**Carnoso:** Parecido al anterior, pero la abundancia de frutas puede ser temporal y la firmeza son apenas perceptibles, seguramente mejorará con el tiempo.

**Balanceado:** Es un vino con la cantidad proporcional de acidez con relación a sus otros componentes.

**Pasado:** Es el que tiene mayor acidez a la soportable.

**ASTRINGENCIA (TANINO):** Los ácidos tánicos, no volátiles, dan al vino fuerza y larga vida.

Para obtener un buen vino, las frutas y ácidos deben combinarse para balancear su madurez, sin que pierdan ninguno de ellos a expensas del otro. Los taninos provienen de la uva y de la madera.

**Ninguna**
**Poca**
**Balanceada**
**Pasada**

**BALANCE:** Es el carácter principal y finura del producto total. Es la mezcla de los componentes físicos naturales; fruta (uvas), ácidos y alcohol. En el balance se debe tomar en cuenta el color, el sabor y el olor.

**Robusto**
**Delgado**
**Suave**
**Dócil**
**Elegante**
**Distinguido**
**Redondo**

**SABOR POSTERIOR O SABOR RESIDUAL:** Es la lenta despedida que se desarrolla en la boca y en los pasajes retronasales. Es un placer final semiapagado, donde una falta o una virtud, podrían distinguirse en este momento.

**Muerto**
**Entregado**
**Empalagante**
**Aeroso**
**Burdo**
**Áspero**

Es conveniente establecer la diferencia que existe entre lo que son el aroma y el *bouquet*, tantas veces mencionado en la degustación y en la cata.

AROMA

En general, podemos decir que el aroma del vino es el producto de los elementos que provienen de la uva, abundante en el vino nuevo, pero que va desapareciendo en el curso del envejecimiento. Ya hemos tratado en el capítulo anterior de la degustación y los diferentes aromas que pueden existir en los vinos, y recordamos que su característica principal es la de ser frutales o florales.

El sabor y olor a frutas o flores se debe, de manera muy importante, a los aceites esenciales localizados principalmente en el hollejo de la uva, y que pasan al vino donde tienden poco a poco a evaporarse.

Puede ocurrir también que, ciertos azúcares que pasan al mosto, sean hidrolizados por la acción de los fermentos de las levaduras que consumirán su glucosa, dejando polialcoholes que se tornarán volátiles, contribuyendo al aroma del vino.

También contribuyen a la formación del aroma en los vinos nuevos, el aldehído cinámico, el salicilato de metilo y la vainilla. El aroma es, pues, el desprendimiento de todos los elementos antes expuestos para formar el perfume que se percibe con más o menos intensidad, dependiendo de las variedades de la uva y las regiones donde se encuentran.

BOUQUET

Para que aparezca el *bouquet*, o aroma, es necesario que el mosto posea las sustancias a partir de las cuales son susceptibles de ser elaborados sus elementos. Es necesario también, que tenga la temperatura adecuada para favorecer y activar las reacciones químicas.

Según Emile Peynaud, el acetato de etilo tiene bastante influencia en la aparición del *bouquet*, así como los aminoácidos grasos de superiores esterificados, sea por el alcohol etílico o por los alcoholes superiores, los cuales a pesar de su débil proporción, tienen influencia en el *bouquet* por ser perfumados.

Entre otras sustancias que pueden influir sobre el sabor y el *bouquet* de los vinos, un lugar importante debe concederse a los derivados del ácido tartárico y del ácido málico, los cuales se forman en presencia del oxígeno, siendo bastante inestables, pues difícilmente se detienen hasta la oxidación, desapareciendo con rapidez cuando la botella es descorchada.

Generalmente, el desarrollo del *bouquet* depende de diferentes condiciones. Una de ellas será en dónde se conserven las botellas, pues si las mantenemos en una cava con una temperatura que puede oscilar entre los 9 y los 13° promedio, esta evolución será lenta, sin embargo, manteniendo las botellas en cavas donde la temperatura sea superior a este promedio, la evolución será mayor, pues como se

Vista de una
cava subterránea

sabe, la temperatura reactiva los diferentes componentes que tiene el vino, haciéndolo evolucionar a veces en forma favorable y a veces desfavorable, dependiendo el grado de éste. En Europa, en las cavas naturales, donde las temperaturas promedio oscilan entre los 10 y los 22°, se ha descubierto que el *bouquet* se desarrolla en el verano, y una vez aparecido, se conserva sin demasiados cuidados y sigue afinándose en los subsecuentes veranos.

Otra condición para la aparición del *bouquet* es la oxidorreducción, pues éste no se desarrolla en forma total más que al abrigo del aire. Por eso, son importantes las precauciones de un buen envejecimiento y de un envasado hermético, pues es preciso que las trazas de aire retenidas en el momento de encorchar la botella, no puedan renovarse. En la botella, la falta de oxígeno hace que la acción de las bacterias sea más lenta y la oxidación sea incompleta. Cuando la botella es descorchada y el vino entra bruscamente en contacto con el aire, se producen las reacciones químicas.

Colocación de
botellas dentro
de una cava
hogareña

Una vez abierta la botella, serán suficientes algunas horas en verano, unos días en invierno para que el vino se estropee y desaparezca el *bouquet*. Este hecho nos demuestra que el *bouquet* está constituido esencialmente por sustancias que son reducidas y pierden todas sus cualidades cuando están oxidadas.

Como una flor rara, cuyo esplendor efímero se prepara largamente en el interior del cáliz, el vino madura lentamente en las cavas el aroma de su caldo; esta maravillosa obra maestra, que los poetas pueden intentar cantar, pero que el químico no sabría describir, es el *bouquet* de un buen vino viejo.

Pisado de las
uvas

Maritornes le
da vino a
Sancho. *Dore's
Illustrations for
"Don Quixote"*

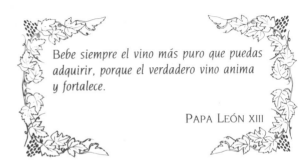

*Bebe siempre el vino más puro que puedas
adquirir, porque el verdadero vino anima
y fortalece.*

PAPA LEÓN XIII

# 9. Interpretación de las etiquetas del vino

Las etiquetas existen desde la antigüedad. En Grecia, cada recipiente de vino llevaba una inscripción que indicaba el nombre del vino que contenía y el de los magistrados en ejercicio; con esos datos se podría deducir el año de la cosecha, o al menos, cuándo se habían llenado las ánforas. Algunas veces aparecía también el nombre del productor o el del comerciante.

Los romanos continuaron empleando estos métodos, como lo demuestran las innumerables ánforas encontradas en el fondo del mar.

Durante el siglo XIX se generalizó la costumbre de grabar en la parte baja del cuello de las botellas, al fabricarlas, una marca inalterable, con lo que, por otra parte se facilitaba el fraude, ya que la botella podía ser original, pero su contenido podía ser alterado.

El objetivo de la etiqueta es indicarnos las características del vino que contiene la botella. Sin embargo, algunas veces puede prestarse a confusión lo que está impreso en ella, ya que los diferentes países productores tienen normas, al parecer distintas, pero iguales en significado.

*Collage* de etiquetas

# CÓMO LEER UNA ETIQUETA

Primeramente mencionaremos a la que nombra la apelación de origen, mención indispensable para poder catalogar la calidad de un vino. Aun cuando la etiqueta lleve el nombre de una marca comercial, el de un viñedo o cualquier otra indicación, el nombre de la apelación debe precisarse de manera muy clara. Ejemplo:

- Pouliguy-Montrachet
- Appellation Controlée

En este caso no existe ninguna duda. Pouliguy-Montrachet es una Apelación de Origen Controlado, un "Grand cru" de Borgoña.
Otro ejemplo:

- Château Giscours
- (Castillo Giscours)
- Margaux
- Appellation Margaux Controlée

En esta etiqueta, Château Giscours es el nombre de una marca comercial y la calidad del vino podemos imaginarla al saber que Appellation Margaux Controlée es una apelación genérica, es decir, no precisa la procedencia exacta del vino, que puede ser cualquiera dentro del área de la denominación Margaux.

La segunda mención, es la del nombre y dirección del embotellador, también muy importante, porque permite valorar el prestigio y personalidad de quien embotella o comercia con el vino (los grandes vinos siempre son embotellados por su propio productor).

## OTRAS MENCIONES

En las etiquetas se pueden encontrar numerosas menciones facultativas (no obligatorias) y con intención o motivación más o menos comercial.

- El color del vino:          Tinto, rosado, blanco, vino pardillo, vino amarillo, vino paja, etc.

- Modo de elaboración:        Vino nuevo, vendimia tardía, selección de granos nobles.

- Milesimado:             Fecha de la cosecha.

- Las cepas:              Gamay, Riesling, Cabernet Sauvignon, Malvasia.

- Los nombres de las cosechas:    Primera cosecha, gran cosecha, cosecha clasificada.

- Las distinciones:         Medallas y concursos.

- Algunos argumentos comerciales:   Historia del viñedo y numeración de (Por lo general en la contraetiqueta)   las botellas.

- Algunos consejos a los consumidores:   Cómo servir el vino.

## ETIQUETAS POR PAÍSES

### FRANCIA

- A.O.C.:               Apelación de Origen Controlado.

- Cepage:              Variedad de la uva.

- Château:             Propiedad vitícola en bordalés; la mención del castillo es independiente de las clasificaciones y de las apelaciones de origen controlado, pudiendo cada uno utilizarlo según su gusto.

- Climat:               Equivalente a "cru", en Borgoña.

- Cru:

Esta palabra se emplea para designar: un viñedo delimitado, produciendo un vino de calidad y el vino proveniente de ese viñedo (los "cru" son siempre propiedad privada, al igual que los "climat").

- Commune o finage:

Municipio.

- Grand cru o tete de cuvée:

Gran vino de Denominación Controlada.

- Mise dans nos caves:

Embotellado en nuestras bodegas.

- Mise en boutelles du (o bien *au*) domaine (o *a la proprieté o chateau*):

Embotellado en la propiedad o castillo.

- Mise par le propeitaiere:

Embotellado por el cosechero.

- Monopole:

La totalidad del viñedo que se cita pertenece al mismo propietario.

- Negociant-eleveur:

Comerciante que compra vino al cosechero en su primer año.

- Prémier cru:                      Segunda categoría de la cepa borgoñesa.

- Propietaire-recoltant:         Propietario y cosechero.

- Recolete:                        Cosecha.

- Villages:                        De viñedos selectos.

- Negociant:                     Firma expendedora que suele comprar vino de unos meses a un chateau y conservarlo (sólo en Burdeos) hasta que madure para ser enviado o embotellado.

- Gran vin:                       Gran vino, sin significado específico.

- Cru classe:                    Uno de los primeros cinco caldos oficiales del Médoc y también cualquier vino clasificado de otro distrito; las clasificaciones del Médoc (Burdeos) son las siguientes:

- Prémier:                       Primer caldo o vino.

- Deuxieme cru: Segundo vino.

- Troisieme cru: Tercer vino (raramente en etiquetas).

- Quatrieme cru: Cuarto vino en categoría.

- Cinquieme cru: Quinto vino.

- Cru exceptionnel: En el Médoc, ocupa el segundo lugar, inmediatamente después del *Cru Classe*.

- Cru bourgeois supérieur: Ocupa el tercer lugar en la clasificación.

- Cru bourgeois: Cuarto lugar en la clasificación, aunque, frecuentemente, un vino muy valioso.

- Prémier grand cru classe: Primera categoría de los vinos clasificados de Saint Emilion.

- Grand cru classe: Segunda categoría de los vinos clasificados de Saint Emilion.

- Supérieur: Sólo en Graves o Saint Emilion, indica un vino con 1 grado más de alcohol por encima del mínimo autorizado.

- Haut: Un simple adorno verbal, excepto cuando forma parte del nombre Haut-Médoc.

## EL LENGUAJE DE LA ETIQUETA DEL CHAMPAGNE

- Vintage: De añada, por ejemplo, 1961 o 1964. Vino de un año excepcional.

- Non-vintage: Sin añada, sin fecha, mezcla de vinos de años normales.

- Cuvée (mezcla):    Todos los champagnes tienen mezclas de diferentes vinos.

- Blanc de Blancs:    Elaborado únicamente con mostos de uvas blancas.

- Cremant:    Semiespumoso.

- Reserve:    Todo champagne puede ser calificado de reserva.

- Reserved for England:    Implica que el vino es seco, ya que a los ingleses les gusta así.

- Brut:    Muy seco.

- Extra sec o extra dry:    seco.

- Sec:    Ligeramente dulce.

- Demi-sec:    Dulce.

- Doux:    Muy dulce.

- Magnum:    2 botellas en una.

- Jeroboam:    4 botellas en una.

- Rehoboam:    6 botellas en una.

- Matusalen:    8 botellas en una.

- Nabucodonosor:    20 botellas en una.

Botellas de
champagne con
arreglos frutales,
restaurante
Maxim's de
México

## ALEMANIA

Con los vinos alemanes, cuyas etiquetas pueden ser confusas, se procederá de la siguiente manera:

1. La gran región vitícola será fácil de determinar, pues todas las etiquetas alemanas indican claramente la región de origen.
2. La calidad del vino resaltará del texto de la etiqueta, ya que ésta menciona si se trata de un vino ordinario (Deutscher-Tafelwein o vino común de mesa); de un buen vino (vino de calidad o Qualitätswein bestimmter Anbaugebiete, abreviado en la etiqueta con las siglas Q.b.A., significa un vino procedente de un territorio determinado, de ciertas variedades de vid y que alcanza en su mosto un peso de 60, lo que daría un 7.5% de alcohol natural. Siempre lleva un número de prueba y también puede llevar el nombre de un viñedo, siempre que de él proceda el 85% de las uvas); de un vino de calidad superior (vino de calidad con atributo o Qualitätswein mit Prädikat, abreviado Q.m.P., vinos selectos que no emplean azúcar, con un peso de mosto natural de 73, equivalente a 9.5% de alcohol natural).
3. La región de origen del vino se encontrará al quitar la terminación *er* al primer nombre del vino. Ejemplo:

Wehlener Sonnenhur: comuna Wehlen; cosecha Sonnenhur.

4. Se situará la comuna dentro de la región vitícola. Ejemplo:

Wehlen está situada en el distrito vinícola de Bernkaste, en el Mosela medio. Esta precisión es muy interesante, pues de esa región provienen todos los grandes Moselas.

Otras menciones en las etiquetas son: Amtliche Prüfungsnummer (abreviado Amtl. Prüf. Nr.), que es el número oficial de control de calidad, atribuido anualmente a los vinos que han pasado con éxito la degustación de control de calidad. Este número está formado por 10 cifras que proporcionan las indicaciones siguientes:
Ejemplo:  6.31.265.13/88

6   — código de la región vinícola.
31   — código del pueblo de origen de la botella.
265  — código del responsable del embotellado.
13   — código para indicar el número de degustaciones efectuadas anteriormente, con éxito, por el responsable del embotellado (veces que su vino ha sido aprobado).
88   — año de la degustación.

La degustación tiene lugar cada año, por consiguiente, los números sufren modificaciones después de cada control efectuado con éxito. En caso de un fracaso, la etiqueta ya no puede llevar el número.

- Kabinett (o Cabinet): Es el grado más bajo de los vinos naturales no azucarados (Qualitätswein mit Prädikat).

- Spätlese: Vino de uvas recogidas tardíamente y por lo tanto más ricas en azúcar. Sólo se utilizan los racimos seleccionados.

- Auslese: Vino de uvas tardías y de gran cosecha o cosecha de elección.

- Beerenauslese: Vino hecho de uvas escogidas (elaborado sólo con los granos más maduros, seleccionados uno tras otro).

- Trockenbeerenauslese: Vino hecho con uvas arrugadas, sea por haberse recogido muy tarde, sea por efecto de la podredumbre noble.

- Bereich o bereiche: Distrito vinícola en el interior de una gran región; por ejemplo: la región de Mosel-Saar-Ruwer comprende 5 distritos, los cuales son: Zell, Bernkastel, Saar, Ruwer y Ormebosel.

- Deutscher Tafelwein: Vino de mesa común, vino corriente o vino del país. La etiqueta puede indicar de qué región (Bereich) es originario.

- Einzellage: Equivalente a *cru* en Burdeos: o a *climat* en Borgoña.

- Eiswein (vino de hielo): Vino hecho con uvas congeladas naturalmente después de una vendimia tardía y prensada así.

- Grosslage: Apelación más amplia que la de Einzellage, pero, a la vez, más restringida que la del distrito de (Bereich). Esta designación puede englobar varias comunas o a un viñedo colectivo.

- Naturrein o Naturwein:      Vino al que no se le adiciona azúcar.

- Original-Abfullung:      Embotellado de origen.

- Qualitätswein bestimmter Anbaugebiete (Q.b.A.):      Vino de calidad, cosechado en un territorio definido. La etiqueta debe llevar la mención de la cosecha, así como la de la región vinícola a la que pertenece (Rheingau, Rheinpfalz).

- Qualitätswein mit Pradikat (Q.m.P.):      Mención que llevan las etiquetas de los vinos de cosecha que han pasado exitosamente la degustación anual de los vinos de calidad. Ellos llevan, además, algunas de las menciones siguientes. Kabinett, Spätlese, Auslese, Beerenauslese, Trockenbeerenauslese. Estos son los mejores vinos alemanes.

- Schaumwein:      Vino espumoso.

MOSEL-SAAR-RUWER

KÖNIG FRIEDRICH WILHELM VON PREUSSEN ALS GAST IM SCHLOSS IM JAHRE 1847

1986      PRODUCT OF GERMANY

**Bernkasteler Kurfürstlay**
**Qualitätswein**
Amtliche Prüfungs-Nr. 1 907 009 165 88      0,7L
Abfüller: Weinkellerei Zimmermann-Graeff GmbH & Co. KG, D-5583 Zell   ges. gesch.

- Schloss: Equivalente a *château* en Burdeos.

- Sekt: Vino espumoso sometido a control de calidad.

- Traubensorte: Cepas.

- Weingut: Hacienda productora de vino.

- Weissherbst: Vino rosado, ligero, elaborado con uvas tintas.

- Weisswein: Vino blanco.

- Rotwein: Vino tinto.

- Perlwein: Vino ligeramente espumoso.

- Trocken: Vino totalmente seco, con un máximo de 4 gramos de azúcar sin fermentación por litro.

## ITALIA

- Tenementi: Propiedad o finca.

- Vendemmia: Vendimia o cosecha.

- Denominazione di origine Controllata (DOC): Similar a la Denominación de Origen Controlada francesa.

- Denominazione di origine Controllata e Garantita (DCG): Es el grado máximo y sólo se otorga a ciertos vinos de ciertos productores, más que a regiones enteras.

- Riserva: Vino de mejor calidad que la común.

- Classico: De la zona central y el mejor de su región.

- Imbottigliato o messo in bottiglia nel origine: Embotellado en la finca de origen.

- Fiasco: Frasco, botella (por ejemplo: la botella del Chianti).

- Infiascato alla fattoria:

  Embotellado en frascos o botellas de las bodegas.

- Vini da banco o da tavola:

  Vino de pasto, corriente, generalmente a granel.

- Bianco:

  Blanco.

- Rosso:

  Tinto.

- Nero:

  Tinto muy oscuro.

- Chiaretto:

  Tinto muy ligero (Clarete)

- Rosato:                          Rosado.

- Secco:                           Seco.

- Amaro:                           Amargo, muy seco.

- Abbocato:                        Finamente suave, sin embargo, menos que "amabile".

- Amabile:                         Semidulce.

- Dolce:                           Muy dulce.

- Spumante:                        Espumoso.

- Frizzante:                       Semiespumoso.

- Gradi o fradi alcool:            Porcentaje de alcohol por volumen.

- Casa vinícola:                   Empresa vinícola.

- Cantina:                         Bodega, cava.

- Cantina sociale:                 Cooperativa de viticultores.

- Consorzio:                       Asociación de viticultores locales con carácter legal.

- Vino o vino santo:               Vino hecho con pasas.

- Passito:                         Similar al anterior.

- Cotto:                           Vino cocido o concentrado, especialidad de unas pocas regiones.

- Stravecchio:                     Muy añejo, maduro, meloso.

- Vino liquoso:                    Vino licoroso dulce (vino generoso).

- Recioto:                         Vino muy dulce, hecho con uvas a medio secar.

- Morbido:                         Tierno, agradable.

## ESPAÑA

- Abocado:            Ligeramente suave.

- Amontillado:       Tipo de jerez color ámbar, muy seco.

- Blanco:             Vino blanco.

- Cepa:               Cepa, planta de vid.

- Clarete:             Tinto ligero.

- Común, corriente:     Vino ordinario, habitualmente sin embotellar.

- Cosecha.           Vendimia, cosecha.

- Dulce:              Dulce.

- Espumoso:         Espumoso.

- Generoso:         Rico en alcohol.

- Oloroso:           Tipo de jerez de un hermoso color oro oscuro, muy aromático.

- Rancio:                       Vino maderizado.

- Reserva:                      Vino maduro, selecto.

- Rosado:                       Rosado.

- Seco:                         Seco.

- Tinto:                        Tinto.

- Viña:                         *Cru* o *Climat*.

- Vino de mesa o de pasto:      Vino para el consumo diario.

- Denominación de origen:       Similar a la denominación controlada.

- Consejo regulador:            Organismo encargado de la defensa, el control y la promoción de las denominaciones de origen.

- Fino:                         Bueno (se refiere especialmente al jerez más seco).

## PORTUGAL

- Adega:                        Bodega, cava.

- Aguardente:                   Aguardiente.

- Cepa:                         Cepa, planta de vid.

- Engarrafado na regiao:        Embotellado en la región de producción.

- Colheita:                     Cosecha.

- Denominaçao de origem:        Similar a la Denominación de Origen. Controlada francesa.

- Porto aloirado claro:         Oporto rubio dorado.

- Porto branco seco:            Oporto blanco, seco.

- Porto aloirado doce:          Oporto dorado o topacio dulce.

ROYAL OPORTO
WINE Cº.
FOUNDED BY ROYAL CHARTER IN 1756

WHITE PORT
EXTRA
(DRY)
PRODUCT OF THE ALTO DOURO
REAL
COMPANHIA VELHA
COMPANHIA GERAL DA AGRICULTURA DAS VINHAS DO ALTO DOURO
V. N. DE GAIA – PORTUGAL

O VINHO DO PORTO É UM VINHO NATURAL, SUJEITO A CRIAR DEPÓSITO COM A IDADE
RECOMENDA SE QUE SEJA SERVIDO COM O CUIDADO INDISPENSAVEIS PARA NAO TURVAR.

| | |
|---|---|
| • Porto retinto seco: | Oporto tinto seco. |
| • Porto tawny (aloirado): | Oporto topacio. |
| • Porto tinto aloirado: | Oporto rubí. |
| • Quinta: | Finca, propiedad. |
| • Vinha: | Viñedo. |
| • Regiao demarcada: | Zona delimitada. |
| • Reserva: | Vino de mejor calidad. |
| • Garrafeira: | Bodega privada, de calidad. |
| • Vinho verde: | Vino verde o joven. |
| • Vinho de mesa: | Vino de pasto, de consumo común. |

- Vinho de consumo:       Vino ordinario, normalmente a granel.

- Maduro:                 Viejo, maduro.

- Engarrafado na origem:  Embotellado de origen.

- Branco:                 Blanco.

- Doce:                   Dulce.

El servicio del
vino

No hay amor más sincero que el amor a
la buena mesa.

BERNARD SHAW

# 10. Servicio y conservación del vino

## GENERALIDADES

El cuidado con que se sirva el vino y las pequeñas costumbres y cortesías de la mesa, no pueden hacer gran cosa para cambiar los vicios y virtudes de éste, pero sí pueden aumentar el disfrute del mismo; si existen copas, garrafas e incluso rituales distintos para los distintos vinos, no es por necesidad física, sino como expresión de los variados placeres sensoriales que estos vinos nos ofrecen; lo anterior contribuye a subrayar las diferentes características del vino y a recordar sus orígenes lo que refuerza las experiencias y las hace memorables.

Manera de servir el vino con ayuda de una "venencia"

Vinos en cestas de mimbre

Presentación de
la botella para
su aceptación

Gozar del vino no requiere en realidad más que de una buena disposición para el placer, un buen sacacorchos y unas copas de cristal; pero hay una serie de normas y reglas que son fruto de la experiencia de siglos y que conviene tener en cuenta por ser de puro sentido común, ahora vamos a señalar algunas:

1. Es importante mostrar primero la botella que vamos a ofrecer a nuestros invitados, para que éstos puedan apreciar su forma y su etiqueta; es conveniente acompañar el movimiento con algún comentario que vaya anticipando el orgullo por la calidad que habrá de ofrecer, pero sin que este comentario pudiera ser exagerado. Quienes vayan a probar el vino, seguramente preferirán emitir un juicio en libertad sin que les pese la influencia de la opinión del dueño de la casa.

2. Procederemos a cortar la cápsula de plomo que cubre la parte superior de la botella; esto se hará por debajo del gollete para que el plomo no se vaya a mezclar con el sabor del vino. Limpiaremos el gollete cuidadosamente con una servilleta limpia antes y después de descorchar.

3. El sacacorcho –ya sea el más simple en forma de T o uno más complejo– debe tener un tirabuzón bien pulido, firme, con una espiral abierta inicial de un largo aproximado de 6 cm para que pueda penetrar en los corchos largos que sellan las botellas de buen vino.

4. Es preferible utilizar copas de cristal incoloro; el vino tiene que verse con claridad. Un vidrio ahumado o coloreado estropearía la percepción visual, una de las más importantes en las apreciaciones de la bebida.

Los conocedores nos aconsejan copas redondas en forma de tulipan o de globo, con los bordes ligeramente cerrados hacia el interior para permitir que los efluvios aromáticos del vino se distribuyan bien y se volatilicen más suavemente ante la nariz. La redondez también realza el juego de luz.

Hay un detalle aparentemente insignificante que tiene, sin embargo gran importancia: las copas deben tener pie y de ahí hay que tomarlas para impedir que los dedos o la mano modifiquen la temperatura propia del vino, empañen el cristal y nos impidan ver el color con nitidez.

Vajilla y vino en
la mesa

El tamaño de la copa, por otro lado, debe ser generoso. Las copas sólo se sirven hasta la mitad o a lo sumo hasta tres cuartos, y debe de quedar espacio para que se pueda realizar el movimiento de rotación que habrá de liberar el aroma de la bebida.

Cuando se sirve más de un vino en la comida, suelen utilizarse copas de diferentes tamaños: los tintos se sirven en copas más grandes que los blancos. Si se sirviera sólo un tipo de vino, la copa de mayor tamaño sería para el más añejo. Para el champagne o algún otro espumante conviene utilizar copas en forma de flautas altas y delicadas. Las copas convencionalmente llamadas de "champagne", de boca ancha, no son adecuadas porque disipan demasiado rápido las burbujas que tanto trabajo le costó conseguir al vinicultor. Debemos recordar que la efervescencia es una de las cualidades de este tipo de vinos, y cuanto más tiempo permanezca, mayor será el placer del paladar y de la vista.

Los conocedores suelen recurrir a la decantación cuando sirven un vino de muchos años. Se trata de una operación delicada, pero no difícil, consiste en traspasar el vino de su botella de origen a una garrafa de cristal previamente enjuagada con el vino, para eliminar sus sedimentos. Ese depósito de partículas, característica especial de un vino añejo, no aparece en los vinos jóvenes o bien estabilizados, aunque se trata de taninos de ciertas materias colorantes inofensivas. Esos sedimentos podrían deteriorar el sabor propio si llegaran a tener contacto con la lengua o con el paladar.

Los vinos blancos necesitan enfriarse pero no helarse y menos aún congelarse, bajo pena de arruinar las cualidades mejores o desenmascarar sus defectos. Se aconseja meter la botella una media hora antes en un recipiente con hielo, o dos horas y media en el refrigerador.

Los vinos tintos, una vez que han sido retirados de la cava donde deben haber sido mantenidos a 12° C aproximadamente, necesitan de más o menos una hora para alcanzar la temperatura de la habitación, en que habrán de consumirse (hablamos de una temperatura entre 18 y 23°C).

Vinos tinto, rosado y blanco en sus respectivas copas de cristal

# SERVICIO DE COMEDOR

Servicio cuyo
platillo principal
es el pescado

Servicio cuyo
platillo principal
es la carne

Copa *tulipán*
para prueba de
cata

Copas *balón*
para vinos tinto
y blanco

# SERVICIO DE COPAS CON ADORNO

La ley de las temperaturas ambientales no es una ley de hierro; ciertos tintos livianos ganan mucho si se les toma ligeramente fríos, un Beaujolais francés se deja beber muy bien luego de permanecer unos 15 o 20 minutos en el refrigerador.

Entre las recomendaciones sociales, hay una que se practica cuando la degustación tiene lugar en restaurante; el *sommelier*, cuyo oficio es el de servir el vino deberá descartar las primeras gotas en un recipiente aparte para eliminar cualquier vestigio accidental del corcho y enseguida ofrecer la primera copa al anfitrión o al comensal de mayor edad, quien a su vez podrá ceder el papel de catador al invitado más reconocido por su cultura en vinos. Cuando este ritual se realiza entre amigos o en familia, el dueño de la casa se sirve esa primera copa y después de probar sus bondades lo comparte con sus huéspedes.

Forma de servir
el vino

Pero vamos a ver qué nos dice un manual de servicios de restaurante al respecto:

1. Toda botella debe ser presentada a la persona que la pidió, mostrando la etiqueta para asegurar que la marca es correcta.

Presentación de la botella a la persona que la solicitó

2. Siempre se tendrá una servilleta limpia.
3. Abrir la botella delante del cliente, servir un poco a esta persona si no se le indica otra cosa. Cuando éste da su aprobación, el vino puede ser servido empezando por las damas en general, después a los hombres y por último a la persona que lo pidió.

Vino que se sirve para su degustación

4. La edad y el grado de la situación social, siempre tienen que ser respetados; si una dama escoge o pide el vino, y los demás son hombres, se sirve primero un poco a uno de ellos para probar. Si asiente deberá servirse primero a la dama y al final al que degustó.

5. En los banquetes que no se prueban los vinos, es el *maitre* quien lo probará para evitar sorpresas desagradables.

6. Como las copas siempre son montadas a la derecha del cliente, el vino se sirve del mismo lado, teniendo la mano derecha sobre la etiqueta volteada hacia arriba.

7. Nunca se sirve el vino pasando la mano delante del cliente, y nunca a varias personas desde el mismo lugar.

Los manuales nos indican que no se deben llenar mucho las copas, la regla general es: dos tercios de la copa si es vino blanco, y la mitad si es vino tinto.

El vino blanco es servido desde más alto que el vino tinto, aproximadamente de 5 a 10 cm arriba de la copa, para que el gas carbónico se elimine por la cascada. Un vino blanco viejo, Burdeos o Borgoña debe ser servido como el tinto, casi tocando la copa.

La etiqueta deberá estar a la vista de la persona a quien se sirve el vino

Cuando se trata de un vino tinto de marca de cierta edad, se requiere mucha precaución; es indispensable servirlo en la canastilla para botella, y con el cuello de la botella casi descansando sobre la copa, sin tocarla para no tirar una gota de vino en el mantel, y se girará ligeramente la botella de derecha a izquierda antes de levantarla.

En un servicio más cuidadoso o más lujoso, con un viejo y exquisito vino de Burdeos o Borgoña, se toma la copa con la mano izquierda un poco inclinada, con los dedos debajo de la copa; este estilo es más elegante y tiene la ventaja de que no se sacude la botella.

Es muy fácil observar el conjunto formado por diferentes platillos, en una mesa puesta con elegancia, sencillez y buen gusto, que, adornada con la presencia del vino embotellado es el escenario en donde culminan las excelencias culinarias de los *chefs* cuando se trata de grandes restaurantes, o en la intimidad familiar con las maravillas que toda mujer sabe preparar en su cocina. En ambos casos coincide la feliz participación del vino en la mesa, fruto de la experiencia y cuidados proporcionados por los enólogos a las uvas que años atrás iniciaron un largo recorrido y que termina precisamente en el momento de degustarlo. El vino tiene la responsabilidad de aumentar, destacar y puntualizar las bondades de los alimentos.

Mesa puesta con sencillez y elegancia, cuyo centro de atracción es el vino

298

Grupo de
servicio del
restaurante
Maxim's de
México

Guardando proporciones, el vestido de la botella tiene una gran importancia, pues ayuda al consumidor a orientarlo, indicándole en las etiquetas las características básicas del tipo de vino. El vidrio de la botella, cuando es verde o café oscuro, ayuda a filtrar la luz, y así atenúa los efectos nocivos que la radiación solar ejerce sobre el vino. Sin embargo, lo mejor es no exponer jamás los vinos a la acción directa de ninguna fuente lumínica y guardarlos, como se recomienda, en lugares sombreados.

La etiqueta y el casquillo, deberán ser proporcionados en su tamaño y producir un conjunto estético que vaya en relación con la calidad del vino y la forma de la botella. Ésta deberá permanecer en la mesa o cerca de ella, para que los comensales puedan servirse con entera libertad.

Si se trata de un restaurante, el *sommelier* deberá estar muy atento para reponer con rapidez el vino que se vaya consumiendo, sin llenar, repetimos las copas hasta el borde.

Dirijamos ahora nuestra atención hacia los enemigos del vino, es decir, los diferentes factores que evitan disfrutarlo en su plenitud. Son muchos los detalles que deben evitarse si se quiere respetar la ceremonia y cuidar la calidad de la degustación, y de hecho constituyen el lado opuesto de las recomendaciones proporcionadas con anterioridad.

# FACTORES QUE AFECTAN LA DEGUSTACIÓN

El enemigo número uno es la práctica de agitar la botella, sobre todo si se trata de un vino añejo cuyo estacionamiento y estabilidad han costado años y años de paciencia. Al ser descorchada la botella debe permanecer quieta, el que debe girar es el sacacorchos y no la botella.

No se debe servir un vino blanco después de un vino tinto, ni cuando el platillo de entrada o la sopa fueran fuertes o muy especiosos como para exigir un tinto, y el plato de fondo requiera un blanco. En esos casos conviene comenzar y seguir hasta el final con el vino tinto. La botella debe dejarse en la mesa, y el anfitrión, como señalamos antes, permanecer atento a que las copas no queden nunca vacías. Si al terminar la comida o cena quedara todavía vino en la botella, sería de muy mal gusto dejarla en la mesa, la norma es siempre retirar los vinos luego de haber comido los quesos y ofrecer para los postres un vino distinto, Jerez, Málaga, Moscatel, Oporto, Madeira u otros vinos dulces de calidad.

El tabaco conspira contra una buena degustación. Una bocanada de humo enmedio de la comida y en plena apreciación de un vino, suele impedir un juicio correcto porque interfiere con el aroma propio del vino. Pero hay también otros elementos que deterioran la capacidad para juzgar el aroma y el sabor: un aperitivo alcohólico demasiado fuerte permanece en el paladar y en el olfato, impidiendo al degustador captar las sutilezas que van a ofrecerle.

Durante la comida, una ensalada preparada con demasiado vinagre adulteraría el gusto hasta aniquilarlo. Si el plato que se sirve requiere necesariamente de una ensalada, lo más aconsejable es preparar el aliño con sólo unas gotas de limón.

Los catadores profesionales desaconsejan firmemente el uso de perfumes intensos o frutales en el cuerpo, las lociones para después de afeitarse, las pastas para dientes muy mentoladas, etc. Todo esto con el mismo motivo: la intensidad de sus aromas impiden saborear plenamente el vino.

Desde el momento en que una copa llega hasta los labios, y aún antes, cuando solamente se ha admirado el color y el aroma de la bebida comienza la aventura del vino, el instante inicial será de conocimiento de un olor y de un sabor. Sólo después, cuando el aficionado esté en condiciones de apreciar una calidad y reconocerla entre otras, se puede hablar de degustación o cata.

Considerando que cualquier vino se beneficia de su comparación con otro, no consideramos que servir más de un vino en la mesa constituya una afectación, sino ensalsamiento de algo bueno. Un vino joven servido en primer lugar acentúa la calidad de otro más añejo; un ligero la de otro denso; uno seco la de otro dulce; pero cuidado: cualquiera de estas combinaciones hechas al revés tendría efectos desastrosos para el vino servido en segundo lugar, razón por la que un vino superior servido antes de uno de inferior calidad, hace que ésta se haga más patente y lo mismo ocurre con un blanco servido después de un tinto.

Lo más difícil es conocer la cantidad del vino que se ha de servir: una botella contiene seis o siete copas de vino, lo que quiere decir copas grandes llenas hasta la mitad, no hasta rebosar.

Contrabarra del
restaurante
Maxim's de
México

En una comida hecha con prisa, puede bastar una copa por persona, mientras
que en una cena larga cinco o seis copas pueden no ser demasiadas, media botella,
considerando una de blanco y dos de tinto, lo cual es una buena medida para la
mayoría, aunque los factores decisivos sean las circunstancias y humor en que se
desarrolla la comida y sobre todo su duración.

Existe una regla de oro para los anfitriones: "Sé generoso con tus invitados,
pero no les obligues a atiborrarse".

# FORMAS DE COMBINAR EL VINO
# Y EL ALIMENTO

Actualmente la composición de los menús es mucho más simple que en otros tiempos. La época y la situación han cambiado las costumbres, prácticamente no se sirve un vino especial para sopa o legumbres; cada vino puede ser escogido en función del plato que le acompaña, pero también en función del vino que sigue para el siguiente plato.

El vino y los platillos no deben chocar jamás. Con un plato fuerte en especias se pone un vino ligero, tierno y fino. Servir un vino muy potente con un platillo delicado es otra falta de gusto; sin embargo, como regla general, hay que escoger un vino ligero antes del vino más fuerte, el crispillante antes del calmado. Como ya mencionamos, el joven antes del viejo, el seco antes del dulce y el blanco antes del

*La comida de
los campesinos.*
Louis le Nain,
Museo del
Louvre, París

tinto. Esta última regla con la excepcion de los grandes vinos blancos licorosos. Consideramos que puedeñ hacerse las siguientes·recomendaciones generales y de manera específica las que aparecen en la carta guía para combinar vinos y comidas.

*Luncheon en el barco*. Renoir, 1881, Colección Phillips, Washington

El menú y los vinos

## GUÍA PARA COMBINAR VINOS Y COMIDAS

### VINOS:

*Blancos*
*Rosados*
*Tintos*
*Espumosos*
*Generosos*

| | Blancos | | | | | |
| --- | --- | --- | --- | --- | --- | --- |
| | Muy seco | Seco | Medio seco | Medio dulce | Dulce | Muy dulce |
| **Ensaladas** | | | | | | |
| Con aceite y sal de ajo | | ■ | ■ | | | |
| Con crema o mantequilla | | ■ | ■ | | | |
| Carnes frías (ahumadas) | | | ■ | | | |
| Pescado ahumado | | | ■ | | | |
| De frutas | | | | ■ | | ■ |
| **Patés** | | | | | | |
| Pescado | ■ | ■ | ■ | ■ | | |
| Cacería | | ■ | ■ | | | |
| Carne | | ■ | ■ | | | |
| **Sopas** | | | | | | |
| Consomé de pollo | | | | | | |
| De pescado | ■ | ■ | ■ | | | |
| Caldos | | ■ | ■ | | | |
| Juliana (de verduras) | | ■ | ■ | | | |
| Cremas frías | ■ | ■ | ■ | ■ | ■ | |
| Cremas calientes | ■ | ■ | ■ | ■ | | |
| Pozole | ■ | ■ | | | | |
| **Huevos** | | | | | | |
| Soufflé de pescado | ■ | ■ | | | | |
| Soufflé de queso | ■ | | | | | |
| Omelette | ■ | ■ | ■ | | | |
| Omelette Flambée | | | | | | |

| | Blancos | | | | | |
|---|---|---|---|---|---|---|
| | Muy seco | Seco | Medio seco | Medio dulce | Dulce | Muy dulce |
| **Pizzas** | | | | | | |
| Ajo y tomate | ■ | ■ | | | | |
| Pescado o pollo | ■ | ■ | ■ | | | |
| Carne | ■ | ■ | | | | |
| **Pastas** | | | | | | |
| Al natural | ■ | ■ | | | | |
| A la crema | | ■ | ■ | | | |
| Con salsa y carne | | ■ | ■ | | | |
| **Arroz** | | | | | | |
| Al natural | ■ | ■ | | | | |
| A la jardinera | ■ | ■ | ■ | | | |
| Paella | ■ | ■ | ■ | | | |
| **Pescados y mariscos** | | | | | | |
| Al natural | ■ | ■ | ■ | | | |
| A la parrilla | ■ | ■ | ■ | | | |
| Sazonado | | | ■ | ■ | | |
| Trucha o salmón | ■ | ■ | ■ | | | |
| Arenque (sin ahumar) | ■ | ■ | ■ | | | |
| Mejillones | ■ | ■ | ■ | | | |
| Langosta o cangrejo | ■ | ■ | | | | |
| **Aves** | | | | | | |
| Asadas | ■ | ■ | ■ | | | |
| Hervidas | ■ | ■ | ■ | | | |
| Estofadas o salteadas | ■ | | | | | |
| En mole | | | | | | |
| Enchiladas | | | | | | |

|  | Blancos | | | | | |
|---|---|---|---|---|---|---|
|  | Muy seco | Seco | Medio seco | Medio dulce | Dulce | Muy dulce |
| **Cacería** | | | | | | |
| Asada | | | | | | |
| Estofada o en salmuera | | | | | | |
| **Carne de res** | | | | | | |
| Hervida | | | | | | |
| Asada | | | | | | |
| Estofada o salteada | | | | | | |
| Fría | | | | | | |
| Tártara | | | | | | |
| Hamburguesa | | | | | | |
| Tacos | | | | | | |
| **Carne de cordero** | | | | | | |
| Hervida | | | | | | |
| Asada | | | | | | |
| Estofada | | | | | | |
| **Carne de cerdo** | | | | | | |
| Hervida | | | | | | |
| Asada | | | | | | |
| Estofada o en salmuera | | | | | | |
| Tacos | | | | | | |
| **Lechón/ternera** | | | | | | |
| Asada | | | | | | |
| Salteada | | | | | | |

| | Blancos | | | | | |
|---|---|---|---|---|---|---|
| | Muy seco | Seco | Medio seco | Medio dulce | Dulce | Muy dulce |
| **Carnes varias** | | | | | | |
| Parrillada | | | | | | |
| Hígado | | | | | | |
| Riñones y mollejas | | | | | | |
| Lengua | ■ | ■ | ■ | ■ | | |
| Pancita, callos o tripas | | | ■ | ■ | | |
| Corazón | | | | | | |
| **Postres** | | | | | | |
| Frutas suaves | | | | ■ | ■ | ■ |
| Otras frutas | ■ | ■ | ■ | ■ | ■ | ■ |
| Crema, natilla, helado, flan | | | | ■ | ■ | ■ |
| Pasteles | | | | ■ | ■ | |
| Pays de frutas | | | | ■ | ■ | |
| Pays de leche | | | | | | |
| **Quesos** | | | | | | |
| Cottage | | ■ | ■ | ■ | | |
| Port salut | | | ■ | | | |
| Camembert | | | | ■ | | |
| Brie | | | | ■ | | |
| Fresco | | | | ■ | | |
| Chester | | | ■ | ■ | | |

| | Blancos | | | | | |
|---|---|---|---|---|---|---|
| | Muy seco | Seco | Medio seco | Medio dulce | Dulce | Muy dulce |
| Quesos | | | | | | |
| Chiapas | | ■ | ■ | | | |
| Oaxaca | | | ■ | | | |
| Chihuahua | ■ | ■ | ■ | | | |
| Gouda | | | ■ | | | |
| Manchego | ■ | ■ | | | | |
| Parmesano | | | | | | |
| Cotija | ■ | ■ | | | | |
| Fundido (para untar) | | | ■ | | | |
| Roquefort | | | | ■ | | |
| Patagras | | | ■ | | | |
| Gruyere | | | ■ | | | |
| Holandés | | | ■ | | | |
| Chedoar | | ■ | ■ | | | |
| Mozzarella | | | ■ | | | |
| Provolone | | ■ | | | | |
| Enchilado | | | | | | |
| Fondue a la suiza | | ■ | ■ | ■ | | |
| Fondue con carne | | | | | | |

| | Rosados | | | |
|---|---|---|---|---|
| | Muy seco | Seco | Regular | Dulce |
| **Ensaladas** | | | | |
| Con aceite y sal de ajo | | | | |
| Con crema o mantequilla | | | | |
| Carnes frías (ahumadas) | ▓ | ▓ | ▓ | |
| Pescado ahumado | | | | |
| De frutas | | | | |
| **Patés** | | | | |
| Pescado | ▓ | ▓ | ▓ | |
| Cacería | | | | |
| Carne | | | | |
| **Sopas** | | | | |
| Consomé de pollo | | | | |
| De pescado | | | | |
| Caldos | | | | |
| Juliana (de verduras) | | | | |
| Cremas frías | ▓ | ▓ | ▓ | |
| Cremas calientes | ▓ | ▓ | ▓ | |
| Pozole | | | | |
| **Huevos** | | | | |
| Soufflé de pescado | ▓ | ▓ | | |
| Soufflé de queso | | ▓ | | |
| Omelette | | ▓ | | |
| Omelette Flambée | | | | |

| | Rosados | | | |
|---|---|---|---|---|
| | Muy seco | Seco | Regular | Dulce |
| **Pizzas** | | | | |
| Ajo y tomate | | | | |
| Pescado o pollo | ■ | ■ | ■ | |
| Carne | | | | |
| **Pastas** | | | | |
| Al natural | | | | |
| A la crema | | | | |
| Con salsa y carne | | | | |
| **Arroz** | | | | |
| Al natural | | | | |
| A la jardinera | | | | |
| Paella | | | | |
| **Pescados y mariscos** | | | | |
| Al natural | | | | |
| A la parrilla | | | | |
| Sazonado | | ■ | ■ | |
| Trucha o salmón | | | | |
| Arenque (sin ahumar) | | | | |
| Mejillones | | | | |
| Langosta o cangrejo | ■ | | | |
| **Aves** | | | | |
| Asadas | ■ | ■ | ■ | |
| Hervidas | | | | |
| Estofadas o salteadas | | | | |
| En mole | | | | |
| Enchiladas | | | | |

| | Rosados | | | |
|---|---|---|---|---|
| | Muy seco | Seco | Regular | Dulce |
| *Cacería* | | | | |
| Asada | | | | |
| Estofada o en salmuera | | | | |
| *Carne de res* | | | | |
| Hervida | | ▓ | | |
| Asada | | | | |
| Estofada o salteada | | | | |
| Fría | ▓ | ▓ | | |
| Tártara | | ▓ | | |
| Hamburguesa | | | | |
| Tacos | | | | |
| *Carne de cordero* | | | | |
| Hervida | | | | |
| Asada | | | | |
| Estofada | | | | |
| *Carne de cerdo* | | | | |
| Hervida | ▓ | ▓ | | |
| Asada | ▓ | ▓ | | |
| Estofada o en salmuera | ▓ | ▓ | | |
| Tacos | | | | |
| *Lechón/ternera* | | | | |
| Asada | | | | |
| Salteada | | | | |

| | Rosados | | | |
|---|---|---|---|---|
| | Muy seco | Seco | Regular | Dulce |
| **Carnes varias** | | | | |
| Parrillada | | | | |
| Hígado | | | | |
| Riñones y mollejas | | | | |
| Lengua | | | | |
| Pancita, callos o tripas | | | | |
| Corazón | | | | |
| **Postres** | | | | |
| Frutas suaves | | | | ■ |
| Otras frutas | | | | |
| Crema, natilla, helado, flan | | | | |
| Pasteles | | | | |
| Pays de frutas | | | | |
| Pays de leche | | | | |
| **Quesos** | | | | |
| Cottage | | ■ | ■ | |
| Port salut | | ■ | | |
| Camembert | | | | ■ |
| Brie | | | | ■ |
| Fresco | | | | ■ |
| Chester | | | ■ | |

| Quesos | Rosados | | | |
|---|---|---|---|---|
| | Muy seco | Seco | Regular | Dulce |
| Chiapas | | ■ | | |
| Oaxaca | | | ■ | |
| Chihuahua | ■ | ■ | | |
| Gouda | | ■ | | |
| Manchego | ■ | ■ | | |
| Parmesano | | | | |
| Cotija | ■ | ■ | | |
| Fundido (para untar) | | ■ | | |
| Roquefort | | | ■ | |
| Patagras | | ■ | | |
| Gruyere | | | ■ | |
| Holandés | | | ■ | |
| Chedoar | | ■ | | |
| Mozzarella | | ■ | | |
| Provolone | | ■ | | |
| Enchilado | | | | |
| Fondue a la suiza | | ■ | ■ | |
| Fondue con carne | ■ | ■ | ■ | |

| | Tintos | | | | |
|---|---|---|---|---|---|
| | Lig. afrutado | Lig. seco | Regular | Poco cuerpo | Mucho cuerpo |
| *Ensaladas* | | | | | |
| Con aceite y sal de ajo | | | | | |
| Con crema o mantequilla | | | | | |
| Carnes frías (ahumadas) | ■ | | | | |
| Pescado ahumado | | | | | |
| De frutas | | | | | |
| *Patés* | | | | | |
| Pescado | | | | | |
| Cacería | ■ | ■ | ■ | ■ | ■ |
| Carne | ■ | ■ | ■ | ■ | ■ |
| *Sopas* | | | | | |
| Consomé de pollo | | | | | |
| De pescado | | | | | |
| Caldos | | | | | |
| Juliana (de verduras) | | | | | |
| Cremas frías | | | | | |
| Cremas calientes | | | | | |
| Pozole | | | | | |
| *Huevos* | | | | | |
| Soufflé de pescado | | | | | |
| Soufflé de queso | | | ■ | ■ | ■ |
| Omelette | | ■ | ■ | | |
| Omelette Flambée | | | | ■ | ■ |

| | Tintos | | | | |
|---|---|---|---|---|---|
| | Lig. afrutado | Lig. seco | Regular | Poco cuerpo | Mucho cuerpo |
| **Pizzas** | | | | | |
| Ajo y tomate | | ■ | ■ | | |
| Pescado o pollo | ■ | ■ | ■ | | |
| Carne | ■ | ■ | ■ | ■ | |
| **Pastas** | | | | | |
| Al natural | | | | | |
| A la crema | | | | | |
| Con salsa y carne | ■ | ■ | | | |
| **Arroz** | | | | | |
| Al natural | | | | | |
| A la jardinera | | | | | |
| Paella | ■ | ■ | ■ | ■ | |
| **Pescados y mariscos** | | | | | |
| Al natural | | | | | |
| A la parrilla | | | | | |
| Sazonado | | | | | |
| Trucha o salmón | | | | | |
| Arenque (sin ahumar) | | | | | |
| Mejillones | | | | | |
| Langosta o cangrejo | | | | | |
| **Aves** | | | | | |
| Asadas | ■ | ■ | ■ | ■ | |
| Hervidas | ■ | ■ | ■ | ■ | |
| Estofadas o salteadas | ■ | ■ | ■ | ■ | ■ |
| En mole | ■ | ■ | ■ | ■ | ■ |
| Enchiladas | ■ | ■ | ■ | ■ | ■ |

| | Tintos | | | | |
|---|---|---|---|---|---|
| | Lig. afrutado | Lig. seco | Regular | Poco cuerpo | Mucho cuerpo |
| **Cacería** | | | | | |
| Asada | | | ■ | ■ | ■ |
| Estofada o en salmuera | | | ■ | ■ | ■ |
| **Carne de res** | | | | | |
| Hervida | | ■ | ■ | ■ | ■ |
| Asada | | ■ | ■ | ■ | ■ |
| Estofada o salteada | ■ | ■ | ■ | ■ | ■ |
| Fría | ■ | ■ | ■ | ■ | ■ |
| Tártara | | ■ | ■ | ■ | ■ |
| Hamburguesa | ■ | ■ | ■ | ■ | ■ |
| Tacos | ■ | ■ | ■ | ■ | |
| **Carne de cordero** | | | | | |
| Hervida | ■ | ■ | ■ | ■ | ■ |
| Asada | | ■ | ■ | ■ | ■ |
| Estofada | ■ | ■ | ■ | ■ | ■ |
| **Carne de cerdo** | | | | | |
| Hervida | ■ | ■ | ■ | ■ | |
| Asada | ■ | ■ | ■ | ■ | |
| Estofada o en salmuera | ■ | ■ | ■ | ■ | ■ |
| Tacos | ■ | ■ | ■ | ■ | |
| **Lechón/ternera** | | | | | |
| Asada | ■ | ■ | | | |
| Salteada | ■ | ■ | | | |

| | Tintos | | | | |
|---|---|---|---|---|---|
| | Lig. afrutado | Lig. seco | Regular | Poco cuerpo | Mucho cuerpo |
| **Carnes varias** | | | | | |
| Parrillada | ■ | ■ | ■ | ■ | |
| Hígado | | ■ | ■ | ■ | ■ |
| Riñones y mollejas | | | ■ | ■ | ■ |
| Lengua | ■ | ■ | | | |
| Pancita, callos o tripas | ■ | ■ | | | |
| Corazón | | ■ | ■ | ■ | ■ |
| **Postres** | | | | | |
| Frutas suaves | | | | | |
| Otras frutas | | | | | |
| Crema, natilla, helado, flan | | | | | |
| Pasteles | | | | | |
| Pays de frutas | | | | | |
| Pays de leche | | | | | |
| **Quesos** | | | | | |
| Cottage | | | | | |
| Port salut | | | | | |
| Camembert | | ■ | ■ | ■ | ■ |
| Brie | | ■ | ■ | ■ | ■ |
| Fresco | | ■ | ■ | ■ | ■ |
| Chester | | | | | |

| Quesos | Tintos | | | | |
| --- | --- | --- | --- | --- | --- |
| | Lig. afrutado | Lig. seco | Regular | Poco cuerpo | Mucho cuerpo |
| Chiapas | | | ■ | ■ | ■ |
| Oaxaca | | ■ | ■ | | |
| Chihuahua | | | | | |
| Gouda | | | ■ | ■ | |
| Manchego | | ■ | ■ | ■ | |
| Parmesano | | ■ | ■ | ■ | |
| Cotija | | ■ | ■ | ■ | |
| Fundido (para untar) | | | | | |
| Roquefort | | | | ■ | ■ |
| Patagras | | | | ■ | ■ |
| Gruyere | ■ | ■ | ■ | | |
| Holandés | ■ | ■ | ■ | | |
| Chedoar | ■ | ■ | ■ | | |
| Mozzarella | | | ■ | ■ | |
| Provolone | | | ■ | | |
| Enchilado | ■ | ■ | ■ | | |
| Fondue a la suiza | ■ | ■ | ■ | | |
| Fondue con carne | ■ | ■ | ■ | ■ | ■ |

| | Espumosos | | |
|---|---|---|---|
| | Seco | Regular | Dulce |
| *Ensaladas* | | | |
| Con aceite y sal de ajo | | | |
| Con crema o mantequilla | | | |
| Carnes frías (ahumadas) | | | |
| Pescado ahumado | | | |
| De frutas | | | |
| *Patés* | | | |
| Pescado | | | |
| Cacería | | | |
| Carne | | | |
| *Sopas* | | | |
| Consomé de pollo | | | |
| De pescado | | | |
| Caldos | | | |
| Juliana (de verduras) | | | |
| Cremas frías | | | |
| Cremas calientes | | | |
| Pozole | | | |
| *Huevos* | | | |
| Soufflé de pescado | | | |
| Soufflé de queso | | | |
| Omelette | | | |
| Omelette Flambée | | | |

| | Espumosos | | |
|---|---|---|---|
| | Seco | Regular | Dulce |
| **Pizzas** | | | |
| Ajo y tomate | | | |
| Pescado o pollo | | | |
| Carne | | | |
| **Pastas** | | | |
| Al natural | | | |
| A la crema | | | |
| Con salsa y carne | | | |
| **Arroz** | | | |
| Al natural | | | |
| A la jardinera | | | |
| Paella | | | |
| **Pescados y mariscos** | | | |
| Al natural | ■ | | |
| A la parrilla | | | |
| Sazonado | | | |
| Trucha o salmón | ■ | ■ | |
| Arenque (sin ahumar) | | | |
| Mejillones | ■ | ■ | |
| Langosta o cangrejo | ■ | ■ | |
| **Aves** | | | |
| Asadas | ■ | ■ | |
| Hervidas | ■ | ■ | |
| Estofadas o salteadas | ■ | ■ | |
| En mole | ■ | | |
| Enchiladas | ■ | | |

| | Espumosos | | |
|---|---|---|---|
| | Seco | Regular | Dulce |
| **Cacería** | | | |
| Asada | | | |
| Estofada o en salmuera | | | |
| **Carne de res** | | | |
| Hervida | | | |
| Asada | | | |
| Estofada o salteada | | | |
| Fría | | | |
| Tártara | | | |
| Hamburguesa | | | |
| Tacos | | | |
| **Carne de cordero** | | | |
| Hervida | | | |
| Asada | | | |
| Estofada | | | |
| **Carne de cerdo** | | | |
| Hervida | | | |
| Asada | | | |
| Estofada o en salmuera | | | |
| Tacos | | | |
| **Lechón/ternera** | | | |
| Asada | | | |
| Salteada | | | |

|  | Espumosos | | |
| --- | :---: | :---: | :---: |
|  | Seco | Regular | Dulce |
| *Carnes varias* | | | |
| Parrillada | | | |
| Hígado | | | |
| Riñones y mollejas | | | |
| Lengua | | | |
| Pancita, callos o tripas | | | |
| Corazón | | | |
| *Postres* | | | |
| Frutas suaves | | | ░ |
| Otras frutas | ░ | ░ | ░ |
| Crema, natilla, helado, flan | | | |
| Pasteles | | | |
| Pays de frutas | | | ░ |
| Pays de leche | | | |
| *Quesos* | | | |
| Cottage | | | |
| Port salut | | | |
| Camembert | | | |
| Brie | | | |
| Fresco | | | |
| Chester | | | |

| | Espumosos | | |
|---|---|---|---|
| | Seco | Regular | Dulce |
| *Quesos* | | | |
| Chiapas | | | |
| Oaxaca | | | |
| Chihuahua | | | |
| Gouda | | | |
| Manchego | | | |
| Parmesano | | | |
| Cotija | | | |
| Fundido (para untar) | | | |
| Roquefort | | | |
| Patagras | | | |
| Gruyere | ▓ | | |
| Holandés | ▓ | | |
| Chedoar | ▓ | | |
| Mozzarella | | | |
| Provolone | ▓ | | |
| Enchilado | | | |
| Fondue a la suiza | ▓ | | |
| Fondue con carne | | | |

| | Generosos | | |
|---|---|---|---|
| | Jerez | Madeira | Oporto |
| **Ensaladas** | | | |
| Con aceite y sal de ajo | | | |
| Con crema o mantequilla | | | |
| Carnes frías (ahumadas) | | | |
| Pescado ahumado | | | |
| De frutas | ▓ | ▓ | ▓ |
| **Patés** | | | |
| Pescado | | | |
| Cacería | | | |
| Carne | | | |
| **Sopas** | | | |
| Consomé de pollo | ▓ | ▓ | |
| De pescado | ▓ | | |
| Caldos | ▓ | ▓ | |
| Juliana (de verduras) | | | |
| Cremas frías | ▓ | | |
| Cremas calientes | | | |
| Pozole | | | |
| **Huevos** | | | |
| Soufflé de pescado | | | |
| Soufflé de queso | | | |
| Omelette | | | |
| Omelette Flambée | | | |

| | Generosos | | |
|---|---|---|---|
| | Jerez | Madeira | Oporto |
| **Pizzas** | | | |
| Ajo y tomate | | | |
| Pescado o pollo | | | |
| Carne | | | |
| **Pastas** | | | |
| Al natural | | | |
| A la crema | | | |
| Con salsa y carne | | | |
| **Arroz** | | | |
| Al natural | | | |
| A la jardinera | | | |
| Paella | | | |
| **Pescados y mariscos** | | | |
| Al natural | | | |
| A la parrilla | | | |
| Sazonado | | | |
| Trucha o salmón | | | |
| Arenque (sin ahumar) | | | |
| Mejillones | | | |
| Langosta o cangrejo | | | |
| **Aves** | | | |
| Asadas | | | |
| Hervidas | | | |
| Estofadas o salteadas | | | |
| En mole | | | |
| Enchiladas | | | |

|  | Generosos | | |
| --- | --- | --- | --- |
|  | Jerez | Madeira | Oporto |
| *Cacería* | | | |
| Asada | | | |
| Estofada o en salmuera | | | |
| *Carne de res* | | | |
| Hervida | | | |
| Asada | | | |
| Estofada o salteada | | | |
| Fría | | | |
| Tártara | | | |
| Hamburguesa | | | |
| Tacos | | | |
| *Carne de cordero* | | | |
| Hervida | | | |
| Asada | | | |
| Estofada | | | |
| *Carne de cerdo* | | | |
| Hervida | | | |
| Asada | | | |
| Estofada o en salmuera | | | |
| Tacos | | | |
| *Lechón/ternera* | | | |
| Asada | | | |
| Salteada | | | |

| | Generosos | | |
|---|---|---|---|
| | Jerez | Madeira | Oporto |
| **Carnes varias** | | | |
| Parrillada | | | |
| Hígado | | | |
| Riñones y mollejas | | | |
| Lengua | | | |
| Pancita, callos o tripas | | | |
| Corazón | | | |
| **Postres** | | | |
| Frutas suaves | | | |
| Otras frutas | | | |
| Crema, natilla, helado, flan | | | |
| Pasteles | ░ | | ░ |
| Pays de frutas | | | |
| Pays de leche | ░ | | |
| **Quesos** | | | |
| Cottage | | | |
| Port salut | | | |
| Camembert | | | |
| Brie | | | |
| Fresco | | | |
| Chester | | | |

| Quesos | Generosos | | |
| --- | --- | --- | --- |
| | Jerez | Madeira | Oporto |
| Chiapas | | | |
| Oaxaca | ■ | | |
| Chihuahua | | | |
| Gouda | ■ | ■ | |
| Manchego | | | |
| Parmesano | ■ | ■ | |
| Cotija | | | |
| Fundido (para untar) | | | |
| Roquefort | | | |
| Patagras | | | |
| Gruyere | ■ | ■ | |
| Holandés | ■ | ■ | |
| Chedoar | ■ | ■ | ■ |
| Mozzarella | | | |
| Provolone | | | |
| Enchilado | | | |
| Fondue a la suiza | ■ | ■ | |
| Fondue con carne | | | |

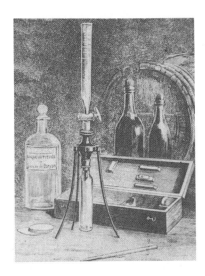

Aparato para
analizar el vino.
Francia, 1891

# Glosario vitivinícola

## A

**Abocado.** Dícese del vino blanco ligeramente dulce, cuyo contenido en azúcar natural está comprendido entre 6 y 15 gramos por litro. Deja, en el paladar, un cierto sabor azucarado.

**Acervo.** Que deja en el paladar una sensación desagradable. Por lo general, es un vino hecho con uvas que no han madurado lo suficiente.

**Acidez fija.** Conjunto de ácidos contenidos en la uva y después en el vino; ácido málico, ácido tartárico, ácido láctico, etcétera.

**Acidez volátil.** Ácidos que no se pueden separar del vino por destilación y existen normalmente en pequeñas dosis; si sobrepasan de treinta a cuarenta gramos por litro, es señal de una alteración microbiana. La acidez volátil está formada por varias sustancias, entre ellas el ácido ascético.

**Ácido láctico.** Elemento del vino que aumenta con el añejamiento.

**Ácido málico.** Muy abundante en las uvas verdes, comunican al vino un sabor amargo característico.

**Ácido succínico.** Este ácido se halla en razón inversa al ácido láctico, disminuyendo en el envejecimiento y favoreciendo la vinosidad.

**Ácido tartárico.** Componente del vino, con proporción de 1.5 a 3 gramos por litro. Cuando sobrepasa los cinco gramos, produce un sabor ácido.

**Afrutado.** Vino que posee el aroma y sabor de la uva o de otras frutas. Es típico de los vinos jóvenes.

**Agrio.** Vino con sabor ácido muy pronunciado.

**Alcohol.** Es el principal soporte de la conservación del vino, formándose durante la fermentación del mosto. Un vino rico en alcohol no es sinónimo de calidad.

**Aldehídos.** Sustancias volátiles que influyen en el aroma de los vinos.

**Amargor.** Sabor desagradable producido por una enfermedad microbiana y que, por lo general, es característica de los vinos tintos muy viejos.

**Ambarino.** Tono de color de ciertos vinos blancos, debido a la oxidación de la materia colorante. Es un defecto en los vinos jóvenes.

**Amontillado.** Vino fino envejecido, de 15 a 17 grados de alcohol, de color ámbar, muy seco, avellanado, aroma punzante y ligeramente amargo.

**Añada.** Tiempo que permanece un vino en barricas de roble, antes de ser embotellado.

**Apagado.** Vino que no tiene un sabor significativo.

**Armagnac.** Comarca comprendida entre el Garona y los Pirineos, en el departamento de Gers, al sur de Burdeos, Francia, allí se elaboran aguardientes de vino, semejantes al Cognac, envejecidos en barricas de roble de la misma región; sus apelaciones son. *Armagnac, Bas armagnac* y *Haut armagnac*; por su añejamiento, se clasifican en: tres estrellas de 5 años, V.S.O.P. (very superior old pale) de 10 años y extra de 20 años o más.

**Aroma.** Perfume natural proveniente del racimo, que se va desvaneciendo con el tiempo.

**Arrope.** Mosto concentrado y caramelizado por la acción de fuego directo en calderas. Cuando se reduce a una quinta parte, se le conoce con este nombre. Cuando la reducción sólo es a una tercera parte, se le conoce con el nombre de sancocho.

**Áspero.** Es un vino con un elevado contenido de tanino, ácido y astringente.

**Asti spumante.** Vino espumoso italiano, elaborado con uvas moscatel, ya sea en botella o en grandes envases cerrados.

**Astringente.** Cargado de taninos, vino que se siente en las encías.

**Aterciopelado.** Vino poco ácido y rico en glicerina.

**Avellanado.** Vino que recuerda, en su sabor, al de la avellana.

**Azúcar.** El jugo de uva contiene dos azúcares simples: la glucosa y la fructosa, la segunda se transforma en alcohol, por la acción de las levaduras durante la fermentación, dejando de dos a tres gramos de azúcar por litro, incluso en los que son secos. En el caso de los procedentes de mostos muy ricos en azúcares, queda una gran cantidad no reducida, pues la fermentación cesa cuando se alcanza una riqueza alcohólica que varía de 9 a 17 grados. En los generosos, la fermentación se detiene al añadirle alcohol, con el fin de conservar una parte del azúcar natural no fermentada.

**Barrica.** Tonel de roble de diversas capacidades.

**Basto.** Vino de poca calidad.

**Blando.** Se dice de los vinos a los que les falta acidez.

**Bota.** Tonel de madera, mayor que la barrica, completamente impermeable.

**Bouquet.** Palabra francesa con la que se designa al conjunto de sensaciones olfativas y gustativas de un vino, se clasifican en: florales, frutoso, vegetales o animales.

**Brandy.** Nombre derivado de las palabras holandesas *brand wein* (vino quemado).

**Cápsula.** Cubierta que se coloca en la parte superior de la botella y que sirve de protección y garantía, al descorchar, se debe cortar para evitar que el vino adquiera malos sabores al estar en contacto con ella.

**Cargado.** Vino con demasiado color.

**Carnoso.** Se dice de los vinos que tienen determinada consistencia (el alcohol y la glicerina están equilibrados).

**Cava.** Bodega en la que se guardan o añejan los vinos.

**Cepa.** Planta de la uva.

**Chambre.** Palabra francesa que significa: cuarto o habitación; se designa a los vinos con esta palabra, para indicar que se deben tomar a la temperatura ambiente.

**Champagne.** Región francesa en el valle de Marne.

Vino espumoso elaborado con uvas blancas Chardonnay (*Blanc de blancs*) o Pinot noir (*Blanc de noirs*), sólo se les puede nombrar champagne a los vinos elaborados en la región antes mencionada.

Este vino se distingue por estar embotellado en diferentes capacidades: un cuarto = 100 mililitros, media botella = 400 mililitros, medium = 600 mililitros, una botella = 800 mililitros, magnum = 1.6 litros, Jeroboan = 3.2 litros, Roboan = 4.8 litros, Matusalen = 6.4 litros, Salmanazar = 9.6 litros, Baltasar = 12.8 litros y Nabucodonosor = 16 litros. Las de uso más común son las de un cuarto, media botella y magnum. Por su contenido de azúcar se denominan: extranatural, cuando no tiene azúcar; extraseco o brut con 2 o 3% de azúcar; natural con 2.5 a 5% de azúcar; seco con 5 a 7% de azúcar; semiseco (demisec) con 7 a 10% de azúcar; y dulce (sweet) con 10 a 12% de azúcar.

**Champenoise.** Método de elaboración del champagne, que consiste en provocar una segunda fermentación del vino, añadiéndole azúcar disuelta en vino viejo (*liquer de tirage vin tranquilee*) obtenido por el procedimiento normal. Al descomponerse el azúcar se produce gas carbónico, que queda disuelto en el vino. Las botellas permanecen en cavas por lo menos durante un año, con una inclinación determinada, para que las sales y materias colorantes vayan hacia el tapón. Una vez clarificado el vino con este proceso natural, se quita el tapón provisional con los sedimentos y se le añade una pequeña dosis de azúcar para darle el acabado final, y se pone un nuevo corcho a presión.

**Château.** Palabra francesa que significa castillo, nombre tradicional que se da en Burdeos a los vinos de gran calidad.

**Chianti.** Vino italiano elaborado en Toscana.

**Clarete.** Vino tinto con poco color.

**Clarificación.** Método para darle al vino su transparencia, consiste en ponerle sustancias protéicas (clara de huevo, colapez, tierra de Lebrija), que arrastran las partículas que hay en suspensión.

**Climat.** Nombre tradicional que se da en Borgoña a los vinos de gran calidad.

**Clos.** Nombre tradicional que se da en Borgoña a los vinos de gran calidad.

**Cognac.** Aguardiente de vino blanco, elaborado en la localidad de Cognac, en Burdeos, Francia.

Los del departamento de la Charente reciben el nombre de *Appellation general*, y los demás el de *Apellation particuliere*, *Grand champagne*, y *Petite champagne*. Por su añejamiento, el *Bureau National Interprofessionel du Cognac*, los cataloga de la siguiente manera. con una estrella de 5 a 10 años, con dos estrellas de 10 años, con tres estrellas o auténtico de 15 años, con las siglas V.O. (very old) o reserva, no precisa su añejamiento, con las siglas V.O.P. (very old product) o Napoleón de 15 a 30 años, con las siglas V.S.O. (very superior old) de 25 a 30 años, y con las siglas V.S.O.P. (very superior old pale) al de 30 años o más de añejamiento.

**Color.** Durante la fermentación alcohólica del mosto, la materia colorante contenida en los hollejos de las uvas, se disuelve por la acción del alcohol, dando su color al vino, los matices azulados son característicos de los vinos jóvenes, y los tonos ladrillo significan envejecimiento en los vinos tintos. En los blancos, el verde significa juventud y el oro añejamiento.

**Completo.** Vino que, en su conjunto, está bien equilibrado.

**Con aguja.** Vino ligeramente espumoso.

**Corcho.** Tapón elaborado con la corteza del alcornoque.

**Corto.** Vino con poco sabor.

**Crudo.** Vino que no ha llegado a su madurez.

**Cubierto.** Vino de color oscuro.

**Cuerpo.** Vino con sabor marcado y fuerza en su sabor.

**De mesa.** Vino de consumo diario, se conoce también como vino de pasto.

**De pasto.** Igual a vino de mesa.

**De raza.** Vino de gran clase.

**Débil.** Se dice del vino al que le falta alcohol y color.

**Delgado.** Es un vino sin cuerpo o muy ligero.

**Delicado.** Es un vino poco ácido, ligero y fresco.

**Descolorido.** Efecto natural producido en el vino que ha sobrepasado su límite de añejamiento.

**Desequilibrado.** Vino en que predomina ya sea el alcohol o el azúcar.

**Distinguido.** Es aquel vino que está equilibrado por elementos delicados y agradables.

**Dócil.** Vino agradable, que pasa bien y no choca al paladar.

**Domaine.** Nombre tradicional que se da en Borgoña a los vinos de gran calidad.

**Dry.** Palabra inglesa usada para designar a un vino seco.

**Dulce.** Indica la presencia de azúcar en el vino.

**Duro.** Vino desagradable al paladar.

**Encabezado.** Operación que consiste en detener la fermentación del mosto por la adición de alcohol. Los vinos así obtenidos se conocen con el nombre de generosos, con graduación de entre 14 a 23 grados.

**Encajes.** Vino decolorado, pasado, que ya no tiene sabor.

**Enófilo.** Del griego *oinos* (vino) y *filos* (amor). Persona enamorada del vino.

**Enólogo.** Palabra proveniente de dos vocablos griegos, *oinos* (vino) y *logos* (tratado), o sea, técnico en vitivinicultura.

**Entresacado.** Operación que consiste en elegir los racimos de uvas que estén en perfectas condiciones, eliminando los que no lo estén.

**Equilibrado.** Vino en que el alcohol y el azúcar están en tales proporciones, que ninguno predomina sobre el otro.

**Escobajo.** Partes leñosas que forman el racimo.

**Espirituoso.** Vino rico en alcohol.

**Espumoso.** Vino burbujeante.

**Fácil.** Vino sabroso y suave.

**Fino.** Vino de gusto delicado y con perfume sutil; tipo de vino de jerez de color topacio, seco y con sabor a almendra.

**Flojo.** Vino débil, con poco cuerpo.

**Flor.** Fenómeno espontáneo que se manifiesta por el crecimiento de unos hongos, conocidos con el nombre de "flor del vino". Es una especie de película de células vivientes que cubre la superficie del mosto. Se produce dos veces al año; en primavera, cuando florecen las cepas, y en otoño, cuando se hace la vendimia. La flor absorbe al oxígeno, protegiendo al vino de los microbios ascéticos. Su continuo crecimiento forma una costra que recibe el nombre de "madre del vino", cuando termina su actividad, cae al fondo de la barrica, este fenómeno es particular del jerez.

**Forrado.** Vino que, por su riqueza en glicerina, da la impresión de untuosidad y suavidad.

**Franco.** Vino que da al olfato y al gusto sensaciones únicamente de la uva.

**Fresco.** Vino joven, con sabor a uva y agradable acidez.

**Frío.** Vino que tarda en dar su aroma.

**Fuerte.** Vino generoso, con cuerpo y con mucho sabor.

**Fundido.** Vino armonioso, en el que sus elementos se combinan sin que predomine alguno de ellos.

**Garra.** Vino con mucho cuerpo y aroma.

**Generoso.** Vino al que se le ha interrumpido su fermentación, añadiéndole alcohol, su graduación oscila entre 14 y 23 grados.

**Glicerina.** Elemento del vino, que da untuosidad y suavidad, se forma durante la fermentación alcohólica; la cantidad normal contenida en un vino es de 6 a 8 gramos por litro.

**Gordo.** Vino tosco.

**Graduación.** Porcentaje de alcohol que contiene el vino.

**Grano.** Sensación que producen algunos vinos jóvenes, al degustarse, se perciben aparentemente materias en suspensión.

**Grasiento.** Se dice de los vinos en que la glicerina predomina sobre el alcohol.

**G.L..** Sistema de grado alcohométrico decimal.

**H**

**Hollejo.** Cáscara o piel de la uva.

**I**

**Incisivo.** Vino que parece picar en la lengua, por exceso de acidez.

**L**

**Lágrima.** Es el vino obtenido por el escurrimiento de las uvas, antes de ser prensadas.
**Largo.** Vino que deja una prolongada sensación agradable en la boca, es característica de los vinos de calidad.
**Levaduras.** Microorganismos unicelulares por los que el jugo de la uva se convierte en vino, se encuentran en la piel de la uva.
**Lías.** Sustancia amarilla formada por impurezas y células de levaduras muertas.
**Licoroso.** Vino suave, dulce y de agradable sabor, al que se le ha adicionado alcohol durante su fermentación.
**Ligero.** Es un vino que tiene poco alcohol.

**M**

**Madera.** Sabor que adquiere el vino cuando está demasiado tiempo en barrica.
**Mate.** Vino sin gracia.
**Mosto.** Jugo de uva.

**O**

**Orujo.** Residuo de las uvas después del prensado.

**P**

**Pañuelo.** Vino que, por su aroma delicado, parece que se podría poner en el pañuelo.
**Peleón.** Vino corriente.
**Picado.** Vino sin sabor ni fuerza, echado a perder.
**Plano.** Vino sin cuerpo y sin sabor.
**Poderoso.** Vino con mucho cuerpo.
**Posos.** Sedimentos que se forman en el vino.

**Rancio.** Es un vino oxidado, su sabor es parecido al del vinagre.
**Redondo.** Vino carnoso, grasiento y muy suave.

**Sancocho.** Véase arrope.
**Seco.** Vino con poca o nada de azúcar.
**Suave.** Vino con mucha glicerina y sustancias gomosas.

**Tanino.** Sustancia astringente contenida en los vinos.
**Teja.** Color característico de los vinos viejos.
**Tierno.** Vino joven, fácil de beber.
**Turbio.** Vino de color desagradable.

**Vendimia.** Cosecha de las uvas.
**Vid.** Planta cuyo fruto es la uva.
**Vinagre.** Líquido agrio y astringente, producido por la acción de las bacterias ascéticas.
**Vinagrón.** Vino de poca calidad.
**Vinaza.** Vino de orujo.
**Vinicultor.** Persona dedicada a la elaboración de vinos.
**Vinoso.** Vino con mucha fuerza debido a que se le añade alcohol.
**Viña.** Plantío de vides.
**Viticultor.** Persona dedicada a sembrar y cosechar uvas.
**Vivo.** Vino que impresiona fuertemente a las papilas.

**Yema.** Es aquel vino que se obtiene del prensado, también se denomina así al vino que se saca del centro del barril.

Bodeguero que
observa el vino
terminado

# Bibliografía

Ariza Alduncin, Antonio, *Control presupuestal publicitario en empresas de vinos y licores*, tesis de la Universidad Anáhuac, México, 1979.

Carles, Jules, *La química del vino*, Oikos-Tau, Barcelona, 1972.

Cooper, Derek, *Wine With Food*, Crown Publishers, Inc., Ltd., Estados Unidos de América, 1980.

De Blas-Jiménez, José Juan, *El vino y la mesa*, CECSA, México, 1980.

De Blas-Jiménez, José Juan, *Los vinos internacionales*, CECSA, México, 1978.

*Diccionario Enciclopédico Quillet*, Aristides Quillet, Argentina, 1967.

*Dictionary of the Wines of the World*, Larousse and Co., Inc., Nueva York, 1976.

*El gran libro del vino*, Editorial Blume, Barcelona, 1980.

*Enciclopedia Salvat de la comida*, Salvat, S.A., Pamplona, 1972.

Fadiman, Clifton y Sam Aarón, *The Joys of Wine*, Harry N. Abrams, Inc., 1975.

*Familia 2 000 tomo 20*, Litografía Everest, León, 1974.

Gonçalves de Lima, Oswaldo, *El maguey y el pulque en los códices mexicanos*, Fondo de Cultura Económica, México, 1978.

Instituto Nacional de Investigaciones Agrícolas, *Guía técnica del viticultor*, Secretaría de Agricultura y Ganadería, México, 1975.

Johnson, Hugh, *El vino*, Editorial Blume, Barcelona, 1977.

Kaufman, William I., *Champagne*, The Viking Press, Inc., Nueva York, 1973.

Larrea Redondo, Antonio, *Viticultura básica, prácticas y sistemas de cultivo en España e Iberoamérica*, Editorial AEDOS, Barcelona, 1981.

Lillicrap, D.R., *Servicio de alimentos y bebidas*, Editorial Diana, México, 1979.

Morales, Ángel, *La cultura del vino en México*, Ediciones Castillo, Monterrey, 1980.

Morrel, John, *Wines of the World*, John Bartholomew and Son Ltd., Edimburgo, 1975.

Negre, E., P. Francot, *Manual práctico de vinificación y conservación de los vinos*, José Monteso, Barcelona, 1952.

Peynaud, Emile, *El gusto del vino*, Ediciones Mundi-Prensa, Madrid, 1986.

Peynaud, Emile, *Enología práctica*, Ediciones Mundi-Prensa, Madrid, 1977.

Torres, Miguel A., *Vino español (un incierto futuro)*, Editorial Blume, Barcelona, 1978.

Torres, Miguel A., *Viñas y vinos*, Editorial Blume, Barcelona, 1977.

Tourism Education Procedures, *Wine Service Procedures*, Canhers Book International, Inc., Nueva York, 1976.

Winkler, A. J., *Viticultura*, CECSA, México, 1978.

Anacreonte,
poeta del vino.
Museo de la
Villa Borghese,
Roma

Copa nupcial
italiana,
1470-1480

# Índice de fotos

En la lista que aparece enseguida, se incluye la información referente a las fotografías con las cuales se inician los capítulos.

# Índice onomástico

# Índice analítico